# 聖賢之道

湯一介

戊子年夏

国学基本教材

# 幼学琼林

余雅汝◎编注

浙江古籍出版社

**图书在版编目（CIP）数据**

幼学琼林 / 余雅汝编注 . — 杭州：浙江古籍出版社，2013.9

国学基本教材

ISBN 978-7-5540-0146-2

Ⅰ. ①幼…　Ⅱ. ①余…　Ⅲ. ①古汉语－启蒙读物　Ⅳ. ① H194.1

中国版本图书馆 CIP 数据核字（2013）第 203748 号

# 幼学琼林

余雅汝　编注

出版发行　浙江古籍出版社
（杭州体育场路 347 号　电话：0571-85176986）

网　　址　www.zjguji.com

责任编辑　陈临士　潘铭明

特约编辑　卜天寿　杨熙雯

责任校对　余　宏

美术编辑　刘　欣

责任印务　贾　敏

照　　排　杭州立飞图文制作有限公司

印　　刷　富阳美术印刷有限公司

开　　本　880 × 1230　1/32

印　　张　5.75

字　　数　136 千字

版　　次　2013 年 9 月第 1 版

印　　次　2013 年 9 月第 1 次印刷

书　　号　ISBN 978-7-5540-0146-2

定　　价　11.50 元

# “国学基本教材”编辑委员会

**统　　筹：**

孙劲松　向　珂　蒋蔚芳　周金芝

**主　　编：**李耐儒

**编　　委：**

李南晖　陆有富　刘乃溪　徐　骆　须　强
可延涛　李　凯　刘　舫　毛文琦　房春草
李宏哲　张　华　黄晓芳　赵立学　介江岭
张志强　姜李勤　白　坤　晏子然　施仲贞
张　琰　汪佳敏　姚之均　余雅汝　干璐娜

**本册编注：**余雅汝

# 总　序

秋霞圃书院创办有年，在民间推动国学普及工作，志在以独立之精神、自由之思想为宗旨，促进古今中外文化思想与学术的交流，为中华民族文化的复兴而尽心尽力。其志可嘉，其行可感！

近年，秋霞圃书院耐儒兄主持编撰“国学基本教材”。本套国学教材集复旦大学、武汉大学、南开大学、中山大学、华东师范大学、上海师范大学等名牌院校的二十多名青年学人，采各种版本的国学读本之长，广泛吸取中小学一线语文教师的教学经验，精心编撰，是中小学生比较理想的国学读本，也是便于教师们使用的、较为系统的国学教材。

读本的篇目有：《弟子规》、《三字经》、《千字文》、《千家诗选读》、《幼学琼林》、《诗词格律》、《唐诗选读》、《宋词选读》、《论语》（上、下）、《史记选读》（上、下）、《大学　中庸》、《诗经选读》、《孟子》（上、下）、《左传选读》、《颜氏家训》、《诸子文选》（上、下）、《汉魏六朝文选》、《唐宋文选》、《礼记选读》、《楚辞选读》。每册有指导性概述，有经典原文，有对原文的注释与新译（赏析），并配上文史链接（延伸阅读）、思考讨论等，图文并茂，准确生动，具有可读性与系统性。

梁启超先生说过，《论语》、《孟子》等经典“是两千年国人思想的总源泉，支配着中国人的内外生活，其中有益身心的圣哲格言，一部分久已在我们全社会形成共同意识，我们既做这社会的一分子，总要彻底了解它，才不致和共同意识生隔阂”。这就是说，“四

书”等经典表达了以“仁爱”为中心的“仁义礼智信”等中华民族的核心价值观念，这是中国古代老百姓的日用常行之道，人们就是按此信念而生活的。

中国文化的大传统与小传统是打通了的。国学具有平民化与草根性的特点。中国民间流传着的谚语是：“勿以善小而不为，勿以恶小而为之”；“老吾老以及人之老，幼吾幼以及人之幼”；“积善之家必有余庆，积不善之家必有余殃”。这些来自中国经典的精神，透过《弟子规》、《三字经》、《百家姓》、《千字文》、《千家诗》等蒙学读物及家训、族规、乡约、谱牒、善书，通过大众口耳相传的韵语故事、俚曲戏文、常言俗话，成为“百姓日用而不知”的言行规范。

南宋以后在我国与东亚的民间社会流传甚广、深入人心的朱熹《家训》说:“事师长贵乎礼也,交朋友贵乎信也。见老者,敬之;见幼者，爱之。有德者，年虽下于我，我必尊之；不肖者，年虽高于我，我必远之。”“人有小过，含容而忍之；人有大过，以理而谕之。勿以善小而不为，勿以恶小而为之。”又说，“勿损人而利己，勿妒贤而嫉能。勿称忿而报横逆，勿非礼而害物命。见不义之财勿取，遇合理之事则从……子孙不可不教，童仆不可不恤。斯文不可不敬，患难不可不扶。”朱子说此乃日用常行之道，人不可一日无也。应当说，这些内容来源于诗书礼乐之教、孔孟之道，又十分贴近大众。它内蕴着个人与社会的道德，长期以来成为老百姓的生活哲学。

王应麟的《三字经》开宗明义：“人之初，性本善。性相近，习相远。苟不教，性乃迁。教之道，贵以专。”这就把孔子、孟子、荀子关于人性的看法以简化的方式表达了出来。儒家强调性善，又强调人性的养育与训练。

清代李毓秀《弟子规》的总序说："弟子规，圣人训。首孝弟，次谨信。泛爱众，而亲仁，有余力，则学文。"以下分成"入则孝"、"出则悌"、"谨而信"、"泛爱众而亲仁"等几部分。这些纲目都来自《论语》。《弟子规》中对孩童举止方面的一些要求，如站立时昂首挺胸、双腿站直，见到长辈主动行礼问好，开门关门轻手轻脚，不用力甩门等，这些规范都是文明人起码应有的，是尊重他人而又自尊的体现。又如："晨必盥，兼漱口，便溺回，辄净手。冠必正，纽必结，袜与履，俱紧切。""斗闹场，绝勿近，邪僻事，绝勿问。将入门，问孰存，将上堂，声必扬。""用人物，须明求，倘不问，即为偷。借人物，及时还，后有急，借不难。"这都是有助于文明社会的建构的，是文明人的生活习惯，也是今天社会公德的基础。

朱柏庐在《朱子治家格言》起首的一段说："黎明即起，洒扫庭除，要内外整洁；既昏便息，关锁门户，必亲自检点。一粥一饭，当思来处不易；半丝半缕，恒念物力维艰。"这些都是平实不过的道理，体现到一个人身上就是他的家教。旧时骂人，说某某没有家教，那是很重的话，让其全家蒙羞。我们不是要让青少年一定要做多少家务，而是要他们从小学就动手打理好自己与家庭的事情，不要过分依赖父母，依赖他人，能够自己挺立起来，培养责任意识。同时，知道一粥一饭、半丝半缕都是辛劳所得，我们能够懂得去尊重家长与别人的劳动。如果我们真的有敬畏之心，就知道珍惜，不应该浪费。

南开中学的前身天津私立中学堂成立于1904年10月，老校长严范孙亲笔写下"容止格言"："面必净，发必理，衣必整，纽必结。头容正，肩容平，胸容宽，背容直。气象：勿傲，勿暴，勿怠。颜色：宜和，宜静，宜庄。"这四十字箴言来自蒙学，又是该校对学生容貌、行止的基本要求。校内设整容镜，师生进校时都要照镜正容色。

后来张伯苓先生治校，坚持了这些做法。

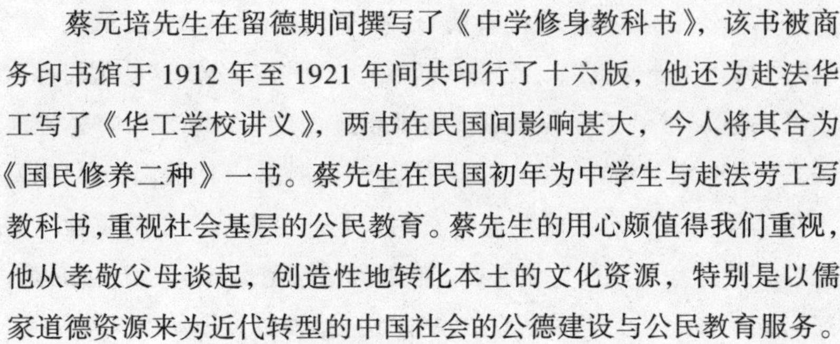

蔡元培先生在留德期间撰写了《中学修身教科书》，该书被商务印书馆于1912年至1921年间共印行了十六版，他还为赴法华工写了《华工学校讲义》，两书在民国间影响甚大，今人将其合为《国民修养二种》一书。蔡先生在民国初年为中学生与赴法劳工写教科书，重视社会基层的公民教育。蔡先生的用心颇值得我们重视，他从孝敬父母谈起，创造性地转化本土的文化资源，特别是以儒家道德资源来为近代转型的中国社会的公德建设与公民教育服务。



现今南京夫子庙小学的校训是“亲仁、尚礼、志学、善艺”。我认为这是非常好的。对孩童、少年的教育，首先是培养健康的心性才情，从日常生活习惯，从待人接物开始，学会自重与尊重别人。

我们今天强调成人教育，因为仅有成才教育是不够的，成才教育忽略了我们作为完整的人、健康的人所必需的一些素养，它在人格养成方面几乎是空白。这不是大学教育才有的问题，而是幼儿园、中小学教育就该关注的。养育青少年的性情，需要家庭、学校、社会的配合。

国学当中有很多修身成德、培养君子人格的内容。中国古典的教育，其实就是博雅教育。传统的教育并不是道德说教，也不是填鸭式满堂灌的教育，而是春风化雨似的，让学生在点滴中有所收获并自己体验，如诗教、礼教、乐教等。

我觉得应该让孩子们处在良好的文化氛围中。家长、老师们要以身作则、言传身教，这对孩子们影响很大。家长、老师有义务端正自己的言行，尤其在孩子们面前。要培养孩子分辨是非的能力，多在性情教育上下工夫，关注孩子的心理健康，多与孩子交流，洞察他们的情感，并做正确的引导。现在一些家长做不到以身作则，他们撒谎骗人，打骂斗狠，不尊重老人，这些都会给孩子的成长烙下负面的印记。

我们也希望同学们能趁着年轻记性好，多读些经典，最好能背诵一些，其中的意思以后可以慢慢领悟。南宋思想家陈亮说过："童子以记诵为能，少壮以学识为本，老成以德业为重……故君子之道不以其所已能者为足，而尝以其未能者为歉，一日课一日之功，月异而岁不同，孜孜矻矻，死而后已。"

本丛书所收经典与蒙学读物中有很多圣哲格言，都足以让我们受用终身。我们一直希望能有多一些的国学经典进入中小学课堂，至少让"四书"进入教材。我们希望能多一些国文课，让中小学生能接受到系统的传统语言与文化教育。中华民族有很多优根性，更需大大弘扬。

是为序。

郭齐勇

癸巳春于珞珈山

# 目 录

概 述 …… 1
卷 一 …… 4
天 文 …… 4
地 舆 …… 13
岁 时 …… 22
文 臣 …… 33
武 职 …… 41
卷 二 …… 49
祖孙父子 …… 49
兄 弟 …… 56
师 生 …… 64
朋友宾主 …… 71
老幼寿诞 …… 78
身 体 …… 84
衣 服 …… 89
卷 三 …… 96
人 事 …… 96
饮 食 …… 103
器 用 …… 112
珍 宝 …… 119

**卷　四** …………………………………………………………… 127
文　事…………………………………………………………… 127
科　第…………………………………………………………… 138
鸟　兽…………………………………………………………… 148
花　木…………………………………………………………… 158
**后　记** …………………………………………………………… 169

# 概　述

## 一、《幼学琼林》的内容

《幼学琼林》是中国古代儿童的启蒙读物，原名《幼学须知》，同时还有过《故事寻源》、《成语考》等别名。关于它的最初编写者，一般认为是明末的程登吉，也有人认为是明景泰年间的进士丘濬（jùn）。此后通行的版本，是清代人邹圣脉增补注释的《幼学故事琼林》。所谓幼学，是指适合儿童启蒙学习用的课本；所谓琼林，是指书中的知识典故、名言佳句就像美玉如林。《幼学琼林》寄予了编者对儿童的美好祝福和殷切期盼，希望他们发愤图强、学业有成。

《幼学琼林》成书于蒙学发达的明代，它博采众家之长，广泛吸收借鉴，形成了自己的独特风格。首先，《幼学琼林》的内容包括天文地理、节气民俗、家庭伦理、科举职官、饮食起居、花木鸟兽、宫室器具乃至为人处世等方面，涉及自然与社会科学的方方面面，知识体系完备，堪称一部小型百科知识全书；从教学理念来说，既有识字释词的句子，又有历史典故知识，更有德育哲理警句，融合了古代各种蒙学教材的长处。其次，作为一部蒙学教材，《幼学琼林》具有相当明确的教化性，成书之后，它迅速取代传统教材，风行全国，起着重要的德育教化的功能，从伦理关系、道德规范等多个方面对蒙童进行思想启蒙教育，灌输封建伦理道德观念。再次，《幼学琼林》遵循着实用性的原则，书中的内容比如天文地理、家庭伦理、饮食起居等，都与生活息息相关，使得

蒙童在从身边事物获取知识的过程中了解外界、开启心智。这比起死记硬背那些空洞玄奥的经义，显然要实用得多。此外，《幼学琼林》非常具有趣味性。书中有大量的历史知识、成语典故，还有一些民风民俗、神话传说等。这一个个生动有趣的小故事，愉悦蒙童的同时使他们获得新知，充分达到了寓教于乐的效果。

## 二、《幼学琼林》的形式

从语言上来说，作为蒙学教材的《幼学琼林》语言浅显易懂、简洁凝练，包含众多的神话传说、历史故事、人物掌故以及格言警句，符合儿童的认知能力和学习特点。更值得一提的是《幼学琼林》的语言形式。

首先，《幼学琼林》采用了大量韵语，比如“跋涉谓行路艰难，康庄谓道路平坦”中，“难”和“坦”押“an”韵；“后人思其遗爱，不忍伐其材”中，“爱”和“材”押“ai”韵。韵语的使用，使文章富含韵味，读起来朗朗上口，易于记诵。不过，《幼学琼林》并不求严格押韵，以避免语义晦涩的现象发生。

其次，《幼学琼林》大量使用了对偶的形式，既有同义类比，如“君子之身，可大可小；丈夫之志，能屈能伸”；又有反义类比，如“肝胆相照，斯为心腹之友；意气不孚，谓之口头之交”，两两相联，句式整齐，富有节奏感，便于诵读记忆。

此外，《幼学琼林》在语句组织上，打破了原有的三、五、七言句式的限制，根据内容选择形式，有时用长句，有时用短句，错落有致，文章生动灵活，富于变化。

从编排上来说，《幼学琼林》借鉴了类书“以类相从”的编排方式，将全书分为四卷，涵盖了天文、地舆、岁时、朝廷、文臣、武职、祖孙父子、兄弟、夫妇、叔侄等三十三类。这种编排方式，将包罗万象的社会变成一个井井有条的秩序世界，结构清晰，内容集中，有助于蒙童对某一知识体系进行集中学习和记忆，从而提高学习的针对性和有效性。

## 三、关于本书的编选

古为今用、去糟粕存精华是本书最基本的原则。《幼学琼林》成书于明代，不可避免地存在着历史局限性。首先，书中宣扬的封建伦理纲常与今天的时代精神格格不入，比如书中宣扬的女子“三从四德”的观点早已为人们所淘汰：“何谓三从？从父、从夫、从子。何谓四德？妇德、妇言、妇工、妇容。”其次，书中有不少迷信和宿命论的内容，比如“命之修短有数，人之富贵在天”等，具有消极负面的影响，需要剔除。另外，由于古代认识水平有限，书中难免存在一些知识性的错误，需要纠正。

故事性是选文的主要依据。作为一本适龄儿童的学习教材，故事能够增加可读性，激发读者的兴趣。因此，选文几乎都蕴涵着人物典故、神话传说等，既有熟悉的，也有陌生的，以趣味性和教育性为标准。有时候，没有故事性的原文也会选入，因为很有教育意义。

选文的底本采用目前通行的版本，共选取天文、地舆、岁时文臣等二十类，注释、译文广泛吸收前人成果，尽量用浅显简洁的语言疏通文义，部分词汇或典故则适当交代来龙去脉，以便读者理解和把握。

“延伸阅读”部分以解读选文中的人物典故或神话传说为主；如果选文中没有可以说明的故事，则选择与选文主旨相关的其他故事，帮助读者理解。此外，编者还对选文中有趣的生活现象作了现代科学意义上的解读，并且添加了一些传统知识的因素。“思考讨论”是希望读者在学习之后，能结合自身实际，做一些积极有益的思考和探索。

# 卷 一

## 天 文

**混沌初开[1]，乾坤始奠[2]。气之轻清上浮者为天[3]，气之重浊下凝者为地[4]。日月五星[5]，谓之七政[6]；天地与人，谓之三才[7]。**



### 注释

[1]混沌:古人想象天地没有形成之前，宇宙模糊一团的状态。初:开始。 [2]乾坤:本是《周易》两个卦名,在文中用其引申义,乾指天，坤指地。奠：定，形成。 [3]气：元气。轻清：气清质轻。 [4]重浊：厚重混浊。凝：凝结。 [5]五星：指金、木、水、火、土五星。 [6]七政：古人认为日、月和五星的运行变异,是上天在告诉人们政治的好坏,可以作为帝王施政的参考,所以称为“七政”。 [7]三才：三种有才能的事物，指天、地、人。古人认为，天可以覆盖万物，地能承载万物，人是万物之灵，所以称为“三才”。

### 译文

模糊一团的混沌一经开辟，天和地也就开始形成。轻的清的气向上浮升，就形成了天；两气中厚重混浊的部分在下面凝固,就形成了地。太阳、月亮与金、木、水、火、土五大行星并称为“七政”；天、地和人合称为“三才”。

## 延伸阅读

### 盘古开天地

盘古像

远古的时候，没有天，也没有地，到处都是黑暗混沌的一片，整个宇宙就像一个大鸡蛋，而人类的祖先盘古就在这个“鸡蛋”的核心孕育而成。

盘古有了生命之后，就急切地睁开眼睛。当他发现周围一片黑暗，什么都看不见的时候，就急忙拔下一颗牙齿，把它变成了一把威力巨大的神斧，然后抡起来用力向周围劈砍。宇宙破裂了，沉浮成两部分：一部分轻而清，一部分重而浊。轻而清者不断上升，变成了天；重而浊者不断下降，变成了地。

天地分开之后，盘古害怕它们还会合拢在一起，就用头顶着天，用脚踏着地。不知过了多久，天和地终于成形了，而盘古累得倒了下去。

在倒下去的瞬间，盘古的左眼飞上天空变成了太阳，右眼变成了月亮，两眼中的液体变成了夜空中的万点繁星。他的汗珠变成了湖泊，血液变成了江河，肌肤变成了大地，毛发变成了草原和森林，牙齿和骨头变成了金属和石头，精髓变成了珠宝和玉石。他呼出的最后一口气，变成了清风和云雾；发出的最后声音，变成了隆隆的雷鸣。当他倒地时，他的头化作东岳泰山，脚化作西岳华山，左臂化作南岳衡山，右臂化作北岳恒山，腹部化作中岳嵩山。

从此世界上有了阳光雨露，大地上有了江河湖海，万物开始滋生，人类开始繁衍。

### 思考讨论

古人认为是盘古开辟了天地。你觉得宇宙天地是怎么形成的呢？

**蜀犬吠日[1]，比人所见甚稀；吴牛喘月[2]，笑人畏惧过甚。望切者[3]，若云霓之望[4]；恩深者，如雨露之恩。**

### 注释

[1]蜀(shǔ)犬吠(fèi)日：蜀地山高雾重，日照时间少，狗一见到日出，就觉得好奇，冲着太阳叫。蜀，四川的别称。吠，狗叫。[2]吴牛喘月：吴地天气多炎暑，水牛热怕了，见到月亮以为是太阳，所以条件反射地直喘气。吴，指吴地，在今江淮一带。　[3]望切：形容深切盼望。　[4]云霓(ní)：下雨的征象。云常为下雨的先兆，虹常出现在雨后。霓，虹的一种。

### 译文

蜀犬吠日，比喻人们少见多怪；吴牛喘月，是在嘲笑人们因为疑心而过分害怕。形容深切期盼的心情，可以说像久旱期盼云霓一样；形容得到的恩惠很深，可以说像万物得到雨露的滋润一样。

## 延伸阅读

### 天狗食日月

传说古时候，有一位名叫目连的公子，他生性好佛，为人善良，十分孝顺母亲。但是他的母亲性情残暴，做了许多坏事。

有一次，目连的母亲吩咐下人用狗肉做了三百六十个馒头，要到寺院去施斋，让和尚们开荤吃肉。目连知道了这事，劝说母亲未果，便急忙叫人去通知了寺院方丈。方丈就用三百六十个素馒头，与狗肉馒头做了调换，然后命和尚们吃了下去。而目连的母亲误以为和尚们真的吃了她的馒头，拍手大笑说："和尚开荤啦！和尚吃狗肉馒头啦！"

天上的玉帝知道这件事后，十分震怒，就将目连的母亲变成一只恶狗，打入了十八层地狱。目连为了救母亲，日夜修炼，最终潜入地狱，打开地狱的大门，放跑了他的母亲。

目连的母亲变成的恶狗逃出地狱后，就蹿到天庭去找玉帝算账。没找到玉帝，它就去追赶太阳和月亮，想将它们吞吃了，让天上、人间变成黑暗的世界。它追到月亮，就将月亮一口吞下去；追到太阳，也将太阳一口吞下去。

聪明的人们敲锣打鼓、燃放爆竹，吓得恶狗又将吞下的太阳、月亮吐了出来。太阳、月亮获救后，重新照亮了世界。恶狗不甘心失败，又去追赶。这样一次又一次，就形成了天上的日食和月食，俗称为"天狗食日"、"天狗食月"。

## 思考讨论

你见过日食或者月食吗？知道它们是怎么形成的吗？

**参商二星[1]，其出没不相见；牛女两宿[2]，惟七夕一相逢[3]。后羿妻[4]，奔月宫而为嫦娥[5]；傅说死[6]，其精神托于箕尾[7]。**

## 注释

[1] 参(shēn)商：指二十八星宿中的参星和商星。参星在东面，商星在西面，此升彼落，不同时在星空出现。 [2] 牛女：指牛郎星和织女星。宿(xiù)：星座的古名。 [3] 七夕：农历七月初七。 [4] 后羿(yì)：夏代东夷族首领，传说中射日的英雄。 [5] 嫦娥：月神名。传说她是后羿的妻子，因吃了长生不老药后奔到月宫。 [6] 傅说(yuè)：商代武丁时期的宰相。 [7] 箕(jī)尾：指二十八星宿中的箕星和尾星。

## 译文

参星与商星此出彼没，永远没有机会相见；牛郎和织女隔着银河相望，每年七月初七的夜晚才能相会一次。后羿的妻子传说飞到月宫，变成美丽的嫦娥；商代的宰相傅说死后，相传他的灵魂寄托在箕、尾两个星宿之间。

## 延伸阅读

### 嫦娥奔月

传说上古时候天空中有十个太阳，直烤得植物枯死，百姓活不下去。于是后羿射下九个多余的太阳，使得天下恢复太平。后羿立下盖世神功，受到百姓的尊敬和爱戴，不少人慕名前来投师学艺。奸诈刁钻、心术不正的逄蒙也混了进来。

有一次，后羿到昆仑山访友求道，巧遇王母娘娘，就向她求了一包不死药。据说，服下此药能马上升天成仙。然而，后羿舍不得妻子嫦娥，就暂时把不死药交给嫦娥珍藏。嫦娥将药藏进梳妆台的百宝匣里，不料被逄蒙看到了。

三天后，后羿率众外出狩猎，心怀鬼胎的逄蒙假装生病，留了下来。待后羿率众人走后不久，逄蒙就闯入后羿的后院，威逼嫦娥交出不死药。

嫦娥知道自己不是逄蒙的对手，她当机立断，转身打开百宝匣，将不死药一口吞了下去。嫦娥吞下药后，身子立时飘离地面，向天上飞去。由于嫦娥牵挂着丈夫后羿，便飞落到离人间最近的月亮上成了仙。

后羿回到家之后悲痛欲绝，但无可奈何。他只好摆上香案，放上蜜食鲜果，遥祭在月宫里的嫦娥。人们闻知这个消息后，也纷纷在月下摆设香案，祈求吉祥平安。从此，中秋节拜月的风俗在民间传开了。

### 思考讨论

你还知道哪些关于月亮的神话传说呢？

**披星戴月[1]，谓早夜之奔驰；沐雨栉风[2]，谓风尘之劳苦。事非有意，譬如云出无心[3]；恩可遍施，乃曰阳春有脚[4]。**

## 注释

[1]披星戴月：身披星光出去，头顶月光回来。形容连夜奔波或早出晚归，十分辛苦。　　[2]沐雨栉（zhì）风：以雨洗发，以风梳头。形容经常在外面不避风雨地辛苦奔波。沐，洗头发；栉，梳头发。　　[3]云出无心：天上的白云无意识地从山峰中飘浮而出。　　[4]阳春有脚：春天的阳光就像长了脚一样，普照万物。比喻给人带去温暖。

## 译文

天空的星星还没有降落，人就早起动身，黑夜的月亮已经高悬在天上，人才返回家中，形容人起早贪黑地操劳；用雨来洗头，用风来梳头，比喻一个人在外奔波，历尽世间的劳苦。事情并不是有意而为的，就好像浮云无意中从山谷飘出来；遍施自己的恩惠，称作“阳春有脚”，说的是一个人走到哪里，就把温暖带到哪里，就好像春天的阳光普照万物一样。

## 延伸阅读

### 阳春有脚

宋璟是唐代著名的大臣，他性情刚直，刑赏无私，一生鞠躬尽瘁，死而后已，深受朝野人士的爱戴。

唐玄宗初期，宋璟任广州都督。当时广东人都用竹子搭建房子，用茅草做屋顶，所以经常发生大火。一旦发生火灾，家里的财物就毁于一旦。看到这种情形，宋璟就教他们用砖瓦盖房，不仅减少了火灾，也使百姓的生活更加安定。

过了几年，宋璟由广州都督升为宰相。一次，他的远房叔叔宋元超在参加吏部的选拔时，对主考官说了自己和宋璟的特殊关系，希望能被照顾。宋璟得知后，特地关照吏部不给他官做。

有一年御宴上，唐玄宗赏赐给宋璟一双金筷子。那时候，黄金制造的餐具器皿都是皇室专用的，所以一听说皇上赐他金筷子，宋璟十分惶恐，不知所措。直到知道唐玄宗是为了表彰他和筷子一样耿直刚正的品格时，他才受宠若惊地接过金筷子。

由于宋璟爱民恤物、无私无畏，人们称赞宋璟为“阳春有脚”，意思是说他像长了脚的春天，走到哪里，就把光明和温暖带到哪里。他对唐朝出现“开元盛世”的繁荣局面功不可没。



## 思考讨论

唐代有许多著名的宰相，列举几位你所知道的，并说说他们的故事。

**心多过虑，何异杞人忧天[1]；事不量力，不殊夸父追日[2]。如夏日之可畏，是谓赵盾[3]；如冬日之可爱，是谓赵衰[4]。**

## 注释

[1] 杞（qǐ）人忧天：比喻不必要或缺乏根据的忧虑和担心。杞，周代诸侯国名，在今山东新泰一带。　[2] 夸父追日：夸父，古代神话中的人物。相传夸父不停地追逐太阳，最后渴死在路上。[3] 赵盾：春秋时期晋国大夫，赵衰的儿子。据说他为人刚酷严厉，令人畏惧，就像夏天的太阳一样。　[4] 赵衰：春秋时期晋国大夫，他为人和蔼可亲，就像冬天的太阳一样。

## 译文

一个人心里太过忧虑，就如同“杞人忧天”一样；做事情不估量自己的能力，就与“夸父追日”一样徒劳。如同夏天的烈日般酷热，令人畏惧，说的是战国晋国大夫赵盾的执政严苛；如同冬天的太阳一样温暖，令人舒适，是形容赵盾的父亲赵衰和蔼可亲。

## 延伸阅读

### 杞人忧天

战国时期，杞国有个人整天都非常苦恼。这是怎么回事呢？原来他担心有一天天会塌下来，地会陷下去，没有地方可以容纳自己。于是他每天觉也睡不好，饭也吃不下，惶惶不可终日。

另外一个人看到杞人每天忧愁的样子，他也感到非常苦恼，于是就想办法去开导他。他对杞人说：“天不过是积聚的气体罢了，没有哪个地方是没有这些气体的。你的一举一动、一呼一吸以及每天所有的活动，都是在这些气体里进行的，怎么还担心天会塌下来呢？”

杞人回答说：“如果天是气体而不会塌下来的话，那在天空中运行的太阳、月亮和星星，难道就不会坠落下来吗？”开导他的人又说：“太阳、月亮和星星，也都是由空气积聚而成的，只不过它们会发光罢了，即使坠落下来，也不会对你、对我、对世界造成什么伤害。”

杞人又问：“如果地陷下去，我又该怎么办呢？”开导他的人又说：“地不过是堆积的土块而已，这种土块把所有的地方都填满了，世界上没有什么地方是没有土块的。你所有的活动，全部都是在地上完成的。地是这么踏实，你怎么还会担心地会陷下去呢？”

经过这一番解释，杞人终于松了一口气，他的生活开始变得轻松、愉快起来。开导他的人感到很高兴，终于也放下心来。

### 思考讨论

劝说者对天地日月星的解释仅代表了当时的认识水平，是不科学的。如果你是劝说者，你会怎么劝导杞人呢?



## 地 舆

**东岳泰山[1]，西岳华山，南岳衡山，北岳恒山，中岳嵩山，此为天下之五岳；饶州之鄱阳[2]，岳州之青草[3]，润州之丹阳[4]，鄂州之洞庭[5]，苏州之太湖，此为天下之五湖。**

### 注释

[1]岳：高大的山。 [2]饶州：隋朝时设立，治所在今江西鄱阳。 [3]岳州：隋朝时设立，治所在今湖南岳阳。青草：青草湖，与洞庭湖相通，自古并称。另说南边叫青草湖，北边叫洞庭湖，实际上是同一个湖的两个不同名字。 [4]润州：隋朝时设立，治所在今江苏镇江。丹阳：丹阳湖，在今安徽当涂，古代是水天相接的大湖，经过千百年的围垦，现已名存实亡。

[5]鄂州：隋朝时改郑州为鄂州，治所在今湖北武汉。

## 译文

东岳泰山、西岳华山、南岳衡山、北岳恒山、中岳嵩山，这是天下闻名的五座大山，并称“五岳”。饶州（今江西鄱阳）的鄱阳湖，岳州（今湖南岳阳）的青草湖，润州（今江苏镇江）的丹阳湖，鄂州（今湖北武汉）的洞庭湖，苏州的太湖，这是天下著名的五大淡水湖，并称“五湖”。

## 延伸阅读

### 泰山封禅

什么是“泰山封禅（shàn）”呢？所谓“封”，是指帝王在泰山上筑坛祭祀，从而增加泰山的高度，表示将功德归于上天。所谓“禅”，是指帝王在泰山脚下的梁甫山上开辟场地，设坛祭祀，从而增加土地的厚度，用来报答大地的福德。泰山封禅是一种帝王受命于天下的典礼，表示帝王统治国家的权力是受到上天的认可的。

封禅的形式源自远古的自然崇拜。古时候，由于认识水平有限，人们对日月山川、风雨雷电敬畏有加，逐渐产生“祭天告地”的自然崇拜。泰山作为名山大川，有着非常独特的地位。传说它是由盘古的头部化成的，自然成为五岳之首，成为人们心目中最崇高伟大的象征。于是，泰山的崇拜活动也相应而生，《史记》里就有七十二帝王泰山封禅的记载。尽管并不是后来意义上的封禅，但至少也具有了类似的告祭形式。

到了春秋时期，齐国和鲁国的儒士认为泰山是天下最高的山，人间的最高帝王应该到这座山上去祭祀至高无上的神灵，表明自己统治的合法性。于是，在齐、鲁两国出现了祭祀泰山的仪式。

后来，这种仪式扩大为统一帝国的祭祀，并且定名为“封禅”。

最初，只有异姓而起或功高显德的帝王才有资格到泰山答谢受命于天的恩德。后来，封禅被滥用，成为巩固皇权、粉饰太平的象征。在中国历史上，有不少皇帝都曾在泰山举行封禅仪式，第一位是秦始皇，后来汉武帝、唐高宗、宋真宗等都于此封禅。

## 思考讨论

中国有许多名山大川，除了文中提到的这些，你还知道哪些呢？请举例说说。



**望人包容，曰海涵[1]；谢人恩泽，曰河润[2]。无系累者[3]，曰江湖散人[4]；负豪气者[5]，曰湖海之士[6]。问舍求田[7]，原无大志；掀天揭地[8]，方是奇才。**

## 注释

[1]海涵：像大海容纳江河那样无所不包，比喻人大度豁达。涵，包含、包容。 [2]河润：像河水那样滋润土地，比喻得到了别人的帮助。 [3]系累：牵累，牵挂。 [4]江湖散人：闲散不拘、毫无挂念的人。 [5]负：享有，具有。 [6]湖海之士：气概豪放的人。湖海，水面广阔、气势雄浑。 [7]问舍求田：即“求田问舍”，追求买田置屋，形容专营私利而胸无大志。舍，房屋。 [8]掀天揭地：把天掀起，把地揭开，形容力量或声势非常浩大。

## 译文

希望得到别人的包容，叫做“海涵”；感谢别人的恩惠，就说“河润”。无牵无挂的人称为“江湖散人”，具有豪放气概的人叫做“湖海之士”。只追求买田置房的人，通常被认为胸无大志；能够掀天揭地做大事业的人，才称得上是有突出才能的人。

## 延伸阅读

### 求田问舍

三国时，有个名士叫许汜。他是个读书人，但对天下大事并不关心，整天想着置买田地、购买房产，平时喜欢夸夸其谈，因此，他被一些人看不起。

有一次，许汜来到荆州，与刘表、刘备一起谈论天下人物。谈到陈登时，许汜非常不以为然地说：“陈登这个人虽然很有名望，但性情太过骄狂，不能礼贤下士。”刘备吃了一惊，却并没有立即反驳许汜，转而问刘表：“您觉得许汜说的对不对？”刘表说：“要说不对，但许汜是个好人，不会随便说别人坏话的；要说对，陈登又盛名满天下……没有道理啊！”

刘备接着问许汜：“您认为陈登骄纵狂妄，有什么根据吗？”许汜说：“我之前因为世道动荡，四处奔走，曾经路过下邳，见过陈登。当时他很不热情，没有一点主客之礼，很久也不跟我说话，只顾自己去上床躺着，而让我独坐下床。”

刘备回答道：“许先生向来有国士的名望，如今天下战乱不已，百姓流离失所。陈登希望您忧国忘家，匡扶汉室。可是您却只想着购买田宅屋舍，言谈也没有什么新意，这当然为陈登所讨厌，自然不会和您促膝长谈。假如当时是我，我肯定会上百尺高楼高卧，而让您睡在地下，哪里只是上下床的区别呢？”

刘表听了，放声大笑。许汜听了面色通红，低头不语，满脸羞惭。

## 思考讨论

你认为“求田问舍”是胸无大志吗？你的志向是什么？

**黑子弹丸[1]，漫言至小之邑[2]；咽喉右臂[3]，皆言要害之区。独立难持，曰一木焉能支大厦[4]；英雄自恃[5]，曰丸泥亦可封函关[6]。**



## 注释

[1]黑子：黑痣。弹丸：弹弓发射用的泥丸、石丸或铁丸。[2]至小之邑（yì）：极小的地方。至，极致。邑，城市、县，指地方。[3]咽喉：比喻险要的地方。右臂：人习惯于用右手做事，所以用右手比喻事物的要害部分。[4]一木焉（yān）能支大厦：一根木头怎么能支撑得住一座大房子。比喻一个人的力量不能支撑全局。焉，怎么。[5]自恃（shì）：自以为有所依靠、倚仗。恃，依靠、倚仗。[6]丸泥亦可封函关：用泥丸封住函谷关，就可以抵挡来犯的敌人，比喻地势险要。丸泥，揉成圆球形的泥团。函关，函谷关，因在山谷中，深险如函得名。

## 译文

黑痣和弹丸，都是形容极小的地方；咽喉和右臂，皆是形容极其险要的地区。形容一个人势单力孤难以支撑危局，就说一根木头怎么能支撑得住一座大厦；英雄夸耀自己的胆识本领，就说一块泥巴也可以封住险要的函谷关。

## 延伸阅读

### 丸泥封关

西汉末年，天水（今属甘肃）有个读书人叫隗（kuí）嚣，他年少时就知书通经，很有名望。王莽时期，他建立了自己的割据势力，并曾发布檄文，兴兵讨伐王莽。不过隗嚣一直野心不大，只满足于割据一方，后来，他归顺刘玄，被封为右将军、御史大夫。

等到东汉光武帝刘秀即位后，隗嚣回到天水，重新招兵买马，自称西州大将军，建立了陇右隗氏的割据势力。他曾经帮助东汉镇压赤眉军，也将儿子作为人质送入京城，一度想要归顺东汉。

隗嚣这种倾向遭到了将领王元的反对。他认为天下成败还未可知，一旦丧失兵权，就会没有安身之处。何况东汉政权尚且面临危机，还不如持兵自重，向北攻取西河、上郡，向东攻取三辅，恢复过去秦国的版图，并凭借华山之险、黄河天堑，建立帝王的功业。说到这里，王元还不失时机地说道："元请以一丸泥，为大王东封函谷关。"意思是我请求用少数兵力，到东边为您扼守函谷关。这固然表明了函谷关的地势险要，也表明了王元的豪气外露，但多少有些不自量力。

不过，王元的这番话最终打动了隗嚣，使得他没有归顺东汉。而刘秀在屡次派人招降都归于失败之后，终于下定决心，发兵剿灭了陇右隗氏政权。"丸泥封关"的计划最终破产。

## 思考讨论

你还知道哪些成语是表示骄傲自满或者不自量力的意思的？

**事先败而后成，曰失之东隅，收之桑榆[1]；事将成而终止，曰为山九仞，功亏一篑[2]。以蠡测海[3]，喻人之见小；精卫衔石[4]，比人之徒劳。**

## 注释

[1] 失之东隅（yú），收之桑榆（yú）：比喻事情开始失败，后来成功。东隅，东方日出的地方，指早晨。桑榆，日落时余光照在桑、榆树梢，借指傍晚。 [2] 为山九仞（rèn），功亏一篑（kuì）：堆筑九仞高的土山，由于只缺一筐土而不能完成。比喻做事情只差最后一点而不能成功。仞，长度单位，古时七尺或八尺为一仞。亏，欠缺。篑，盛土的筐子，这里指用筐装的土。[3] 以蠡（lí）测海：用瓢来量海水，比喻见闻浅陋。蠡，贝壳做的瓢。[4] 精卫衔石：同“精卫填海”。此指白费力气。现比喻目标坚定，意志坚决。

## 译文

形容做事先经历失败，最后取得成功，叫做“失之东隅，收之桑榆”；比喻事情即将成功，却因放弃而终止，就说“为山九仞，功亏一篑”。用瓢来测量海水，比喻人的见闻浅陋；精卫衔石填海，比喻人做事徒劳无功。

## 延伸阅读

### 精卫填海

传说古时候太阳神炎帝有个宠爱的小女儿，名叫女娃。

有一天，她一个人驾着一只小船向着东海太阳升起的地方划去。海上忽然起了风暴，海浪把小船打翻了，女娃被大海无情地吞没了，失去了年轻的生命。

女娃死后，她的精魂化作一只小鸟，它头顶带着花纹，长着一身黑黑的羽毛，有着白色的嘴、红色的爪子，不时发出“精卫、精卫”的悲鸣。所以，人们称它为“精卫鸟”。

精卫痛恨大海无情地将它淹没，立志报仇雪恨，它发誓：不填平东海，绝不回家。于是它展翅高飞，一刻不停地从西边的发鸠山上衔小石子或小树枝，投进那浩瀚无边的东海。

日复一日，年复一年，精卫在西边的发鸠山和东边的大海之间来来回回。它黑色的身影在一望无际的海面上显得十分渺小，可是，每当大海示威似的向世界咆哮的时候，精卫也毫不示弱地发出它的叫声。

人们同情精卫、钦佩精卫，把它叫做“冤禽”、“誓鸟”、“志鸟”、“帝女雀”。今天的东海有个精卫誓水处，据说就是为了纪念它而立。

## 思考讨论

读了精卫填海的故事，你有什么启发呢？

**得物无所用，曰如获石田[1]；为学已大成，曰诞登道岸[2]。淄渑之滋味可辨[3]，泾渭之清浊当分[4]。泌水乐饥[5]，隐居不仕[6]；东山高卧[7]，谢职求安[8]。**

## 注释

[1] 石田：布满石头的田地，无法耕种。比喻无用的东西。

[2] 诞登道岸：登上道德知识的彼岸，比喻学问大有成就。诞，句首语气词，无义。道，道德，这里指品德学问。　[3] 淄（zī）渑（shéng）：淄水和渑水，均在山东境内。相传淄水甘甜，渑水苦涩，二者混合后则只有齐桓公善于烹调的大臣易牙才能分辨。
[4] 泾（jīng）渭（wèi）：泾水和渭水，都流经陕西。泾水清，渭水浊，两河交汇后界限分明。　[5] 泌（bì）水乐饥：泉水可以充饥。形容隐居生活的快乐。泌，涌出的泉水。　[6] 仕：做官。
[7] 东山：山名，在今浙江上虞一带，东晋谢安曾在此隐居，后泛指隐居之地。　[8] 谢：谢绝。



## 译文

得到的东西没有一点用处，叫“如获石田”；做学问取得了很大的成就，称“诞登道岸”。淄水和渑水的味道不同，放在一起也能分辨出来；泾水清澈而渭水混浊，即使二者合流，依然能够分清界限。山泉甘美，可以充饥，所以隐居山林的人不愿出山做官，宁愿在自由恬静的东山过着高枕无忧的日子，故东晋的谢安多次谢绝朝廷的官位。

## 延伸阅读

### 东山再起

谢安，字安石，东晋政治家、军事家。他出身于世家大族，性情温雅沉静，临危不乱，年轻时就享有盛名，为时人所重。

不过，谢安是个崇尚自然、淡泊名利的人。东晋朝廷先征召他入司徒府，接着又任命他为佐著作郎，都被谢安以生病为借口推辞了。后来，谢安干脆隐居到会稽（今属浙江绍兴）的东山，与王羲之等人一起游览山水，吟诗谈文。在这期间，谢安曾受人推举，勉强做了一个多月的官便辞职了。后来，朝廷又多次征召，都被谢安回绝了，他隐居在会稽，过着无忧无虑的日子。

谢安虽然不愿出山，但当时的士大夫都对他寄予很大的期望，希望他出来主持政局，甚至还有人说："谢安不出来做官，叫百姓怎么办？"

一直到了晋穆帝时，谢氏家族的权势受到了很大威胁，四十多岁的谢安才不得已结束隐居生活，担任了征西大将军桓温手下的司马。因为谢安长期隐居在东山，所以后来人们把他重新出来做官称为"东山再起"。



谢安"东山再起"之后，开始了他二十多年的政治生涯，他做了两件大事：一是巧妙地阻止了桓温的篡位活动，避免了内战的爆发；二是指挥了著名的淝水之战。淝水之战是我国历史上著名的以少胜多的战役，为东晋赢得了几十年的和平。这两件大事使谢安名垂青史，受人敬佩。

### 思考讨论

你喜欢农村的田园风光还是城市的高楼大厦？为什么？

## 岁　时

爆竹一声除旧[1]，桃符万户更新[2]。履端是初一元旦[3]，人日是初七灵辰[4]。元日献君以《椒花颂》[5]，为祝遐龄[6]；元日饮人以屠苏酒[7]，可除疠疫[8]。

## 注释

[1]爆竹：古时在节日或喜庆日，用火烧竹，发出噼啪声，称为“爆竹”。火药发明后，用多层纸密卷火药，接上引线，点燃使它爆炸发声，也称为“爆竹”。　[2]桃符：古时挂在大门上的两块画着神荼（shū）、郁垒二神或写着二神名字，用于避邪的桃木板。五代时开始在桃木板上书写联语，后改写于纸上，称为“春联”。　[3]履端：一年的开始。元旦：也叫元日，古时指农历正月初一日。　[4]人日：指农历正月初七日。灵辰：即人日。[5]《椒花颂》：晋代刘臻的妻子陈氏曾在正月初一给皇帝献《椒花颂》，后指新年祝词。　[6]遐（xiá）龄：高龄，长寿。[7]屠苏酒：酒名。古代习俗，正月初一日家人先幼后长，饮屠苏酒，用来避免瘟疫。　[8]疠（lì）疫：即瘟疫。

卷一

## 译文

一声爆竹响，旧的一年已经过去；贴上春联，千家万户更换了新气象。“履端”是大年初一，又叫“元旦”；“人日”是正月初七，也称“灵辰”。元旦这天，晋代刘臻的妻子陈氏给皇帝献了一篇《椒花颂》，祝他万寿无疆；元旦这天，请人喝屠苏酒，据说可以避免瘟疫。

## 延伸阅读

### 新年的由来

相传，中国古时候有一种叫“年”的怪兽，它头长触角，凶猛异常，每到除夕就会出来吞食牲畜、伤害人命。因此，每到除夕这天，家家户户都逃往深山躲避。

年　画

有一年除夕，人们正收拾东西准备上山避难，从村外来了个乞讨的老人，只见他手拄拐杖，白发苍苍。老人说，只要让他住一晚，他一定能将“年”驱赶走。众人不信，纷纷劝他上山躲避，但老人坚持留下。于是，众人给了他食物之后，只好撇下他，上山避难去了。

半夜时分，“年”兽闯进村，发现村里有一户人家烛火通明，就立即狂叫着扑过去。将近门口时，“年”兽看到了门口贴的红纸，院内又不时传来“砰砰啪啪”的炸响声，它便浑身发抖，再不敢往前了。原来，“年”最怕红色、火光和炸响声。这时，这户人家的门大开，只见院内一位身披红袍的老人在哈哈大笑。“年”兽大惊失色，仓皇而逃了。

第二天是正月初一，避难回来的人们见村里安然无恙，才恍然大悟，原来白发老人是帮助人们驱赶“年”的神仙。人们同时还发现了白发老人留下的驱赶“年”的法宝：家门上贴着的红纸，院里一堆仍在“啪啪”炸响的竹子，屋内几根发着余光的红蜡烛……

从此每年除夕，家家贴红对联、燃放爆竹，户户烛火通明、守更待岁。初一一大早，还要走亲串友道喜问好。这就是新年的由来。



## 思考讨论

在你的家乡，过年有哪些习俗呢？

**端阳竞渡[1]，吊屈原之溺水[2]；重九登高[3]，效桓景之避灾[4]。五戊鸡豚宴社[5]，处处饮治聋之酒；七夕牛女渡河，家家穿乞巧之针[6]。**

## 注释

[1]端阳竞渡：端午节赛龙舟的习俗。端阳，传统节日，农历五月初五，又称“端午”、“重五”。 [2]吊：哀悼，凭吊。屈原：名平，字原，战国时期楚国贵族，伟大的爱国诗人。因谗言被流放，后投汨罗江而死。 [3]重九：农历九月初九，又称“重阳”。[4]桓景：相传为东汉大夫，随费长房学仙法。某年九月九日，听从费长房叮嘱，携全家登高，臂挂茱萸，饮菊花酒，躲开了灾难，而家里鸡狗牛羊全死。后来桓景避灾的消息广为流传，成为重阳

登高习俗的来源。 [5] 五戊（wù）：立春后第五个戊日，即春社日。传说春社日饮酒可以防治耳聋，所以称社日酒为治聋酒。戊，天干的第五位，用以纪年或纪日。 [6] 乞巧：传统习俗，每年七夕，妇女向织女星乞求智巧，称为“乞巧”。

## 译文

端阳节赛龙舟，是为了哀悼屈原投水死在汨罗江；重阳节登高，是仿效汉朝桓景以躲避灾难。立春后第五个戊日是宰鸡杀猪以祭神的日子，到处都喝防治耳聋的酒；七月初七夜晚是牛郎织女渡过银河相会的时间，家家妇女穿针引线祈求学到织女灵巧的手艺。



## 延伸阅读

### 屈原投江

楚国的贵族屈原自幼勤奋好学，胸怀大志，早年深受楚怀王信任，但后来由于遭到小人的陷害，被楚怀王疏远了。

有一次，秦昭襄王给楚怀王写信，请他到武关相会，订立盟约。楚怀王接到秦昭襄王的信，犹豫不决：不去呢，怕得罪秦国；去呢，又怕出危险。

屈原认为这是秦国的圈套，力劝楚怀王不去。可楚怀王却听信了小人之言，去了秦国。楚怀王一踏进秦国的武关，立刻被秦人扣押在咸阳，最终客死异乡。

楚人因为怀王受秦国欺负而死在外头，心里很不平，特别是大夫屈原，更是气愤。他劝怀王的继任者楚顷襄王搜罗人才，远离小人，鼓励将士，操练兵马，为怀王报仇雪耻。可是他的这番言论刚一说出，就遭到小人的攻击，楚顷襄王大怒，将屈原革职，放逐到湘南。

屈原离开之后，楚国朝政更加混乱。公元前278年，秦国派大将白起攻打楚国，攻占了国都。屈原听到这个消息，放声大哭，在五月初五那一天，抱着一块大石头，沉到了汨罗江里。

百姓们听到消息后，赶紧划着小船去救，可是来不及了；想打捞他的尸体，结果一无所获。他们只好划着船在江上祭祀他，因为怕鱼儿吃了他的尸体，就把竹筒里的米撒在水里喂鱼。后来，人们把五月初五这天称为端午节，把盛米的竹筒改成粽子，把小船改为龙舟，用以纪念屈原。这就是端午习俗的由来。



### 思考讨论

要是你看到正准备投江的屈原，你会怎么劝他呢？

**月有三浣[1]：初旬十日为上浣，中旬十日为中浣，下旬十日为下浣；学足三余[2]：夜者日之余，冬者岁之余，雨者晴之余。以术愚人[3]，曰朝三暮四[4]；为学求益，曰日就月将[5]。**

### 注释

[1]三浣（huàn）：浣，亦作“澣”，洗。唐制，官吏每十天休息洗浴一次，所以一个月有三浣。后因称十日为浣，上旬为上浣，中旬为中浣，下旬为下浣。　[2]三余：三国时人董遇常教学生利用“三余”的时间学习，谓“冬者岁之余，夜者日之余，阴雨者时之余也”。后以“三余”泛指空闲时间。　[3]以术愚人：用权术来愚弄别人。　[4]朝三暮四：原指善于用权术愚弄人，

后用来比喻常常变卦，反复无常。　　[5]日就月将：每天有成就，每月有进步。就，成就。将，进步。

## 译文

一个月有三浣：上旬十天叫上浣，中旬十天叫中浣，下旬十天叫下浣。学习要充分利用“三余”时间：夜晚是白天的剩余时间，冬天是一年的空余时间，雨天是晴天的闲暇时间。用权术愚弄别人，称为“朝三暮四”；学习能求精进，称为“日就月将”。



## 延伸阅读

### 朝三暮四

战国时代，宋国有一个老人，他很喜欢猴子，在自家的院子里养了许多猴子。他每天给猴子喂食，看着猴子嬉闹，成天都和猴子待在一起，他能懂得猴子们的心思，猴子们也能够了解老人的心意。时间一长，这个老人居然能够跟猴子说话交流了。

原本这个老人每天的早晨和晚上分别给每只猴子四颗橡子。后来，老人的经济越来越不宽裕了，他不断减少全家的口粮，来满足猴子们的欲望，却因为猴子的数目越来越多而难以为继。这年正好又赶上荒年，粮食歉收，他没有办法，只好限制猴子们食用橡子的数量。不过他知道这群猴子非常聪明，怕它们不听从自己，于是就想了个办法。

老人对猴子们说：“粮食歉收，吃的必须要节俭了。从今天开始，我每天早上给你们三颗橡子，晚上还是照常给你们四颗橡子，不知道你们同不同意？”

猴子们听了，非常生气，早上怎么能少一个？于是马上炸开了锅，一个个恼羞成怒，开始吱吱大叫，到处跳来跳去，局面十分混乱。

老人一看到这个情形，连忙改口说："那么我早上给你们四颗橡子，晚上再给你们三颗橡子，这样总可以了吧？"

猴子们听了，知道早上的橡子已经由三颗变成四颗，以为早上能多吃一些，就高兴地在地上翻滚起来。

## 思考讨论

你觉得猴子为什么会接受这个结果？



**焚膏继晷[1]，日夜辛勤；俾昼作夜[2]，晨昏颠倒[3]。自愧无成，曰虚延岁月[4]；与人共语，曰少叙寒暄[5]。可憎者，人情冷暖[6]；可厌者，世态炎凉[7]。**

## 注释

[1] 焚膏继晷（guǐ）：点燃灯烛，把白天延长。形容夜以继日地努力工作或学习。膏，油脂，指灯烛。晷，日影，比喻时光。[2] 俾（bǐ）昼作夜：把白天当做黑夜。斥责夜间寻欢作乐的荒淫生活。俾，使。　[3] 晨昏颠倒：早晨和晚上颠倒不分。[4] 虚延岁月：白白地浪费时间，形容一事无成。虚，空，白白地。延，拖延。　[5] 寒暄：见面时问候起居冷暖的客套话。暄，温暖。[6] 人情冷暖：人与人之间的情谊随着地位高低的变化而有冷淡亲热的差别。　[7] 世态炎凉：指一些人在别人得势时百般奉承，别人失势时就十分冷淡。世态，社会上的人情世故，多指趋炎附势。

## 译文

点燃灯烛接替日光，形容一个人日夜勤劳；把白天当做晚上，自然是“晨昏颠倒”。惭愧自己没有成就，称作“虚延岁月”；与人简单交谈，称作“少叙寒暄”。让人憎恨的，是人情有冷暖；让人厌恶的，是世态有炎凉。

## 延伸阅读

### 囊萤映雪

车胤，字武子，东晋南平（今属福建）人。他从小好学不倦，却因家境穷困，没有钱买油点灯，一到天黑，就没法读书了。

车胤囊萤苦学

一个夏天的晚上，车胤正坐在院子里背诵文章，看见许多萤火虫一闪一闪地在空中飞舞，就像一盏盏小灯笼。他灵机一动，飞快地跑进房间，拿了一个白布缝制的口袋，然后捕捉了几十只萤火虫装进去。接着，他把布袋挂到房梁上，借着布袋里透出的幽幽的光亮，车胤在晚上刻苦读书，后来成了一个大学问家。这就是车胤囊萤苦学的故事。

和“囊萤”并传的，是“映雪”的故事。“映雪”的主人公是孙康，他是晋代京兆（今属陕西）人。他和车胤一样酷爱学习，常常感到白天的时间不够用，很想夜以继日，却也点不起灯。到了冬季，昼短夜长，孙康更感到让黑夜的时间浪费掉，实在太可惜了。

一天，孙康一觉醒来，看见窗户缝里透进白光，以为已经天明了。于是连忙起床学习，等到出门一看，他呆住了：一轮皎洁的明月，照亮了一个白雪皑皑的世界。雪后的山峦、河流、树木、房屋，无不银装素裹、闪闪发亮。他欣赏着雪景，忽然想到：映着雪光，不是可以读书吗？

于是孙康便在月下借着积雪的反光读书，手脚冻麻了，他就搓搓手、跺跺脚，继续读书。孙康这样勤学苦练，后来也有了很大成就。

### 思考讨论

中国古代有很多刻苦学习的例子，你还知道哪些呢？

春祈秋报[1]，农夫之常规[2]；夜寐夙兴[3]，吾人之勤事。韶华不再[4]，吾辈须当惜阴[5]；日月其除[6]，志士正宜待旦[7]。

## 注释

[1]春祈秋报：春、秋季节举行的两种社祭。古人春耕时祈求丰收叫祈，秋收后祭神叫报。　[2]常规：沿袭下来常年实行的规矩。　[3]夜寐（mèi）夙（sù）兴（xīng）：晚睡早起，形容人勤奋不懈。寐，睡觉。夙，早。兴，起来。　[4]韶（sháo）华：美好的时光，这里指美好的青春年华。　[5]惜阴：珍惜光阴。[6]日月其除：岁月流逝，光阴不等人。日月，日月流转，借指光阴。除，流逝。　[7]待旦：等待天明。常用于形容勤于政事。

## 译文

"春祈秋报"，是农民祭祀的寻常规矩；"夜寐夙兴"，每个勤劳的人都会这样做。青春年华一去不复返，我们应该珍惜光阴；日月不停流逝，有志之士应该抓紧时间有所作为。

## 延伸阅读

### 枕戈待旦

晋代的祖逖（tì）是个胸怀坦荡、抱负远大的人。他与刘琨是好朋友，常常同床而卧，有着建功立业、复兴晋国的远大理想。他们一谈起国家局势，总是慷慨万分，常常聊到深夜。

一次半夜，祖逖在睡梦中听到公鸡的鸣叫声，他叫醒刘琨，问他说："你听见鸡叫了吗？"刘琨说："半夜听见鸡叫不吉利。"祖逖说："我偏不这样想，咱们以后听见鸡叫就起床练剑如何？"

刘琨被祖逖的爱国热情深深感动，更加坚定献身祖国的信念。一次他在给家人的信中写道："在国家危难时刻，我经常枕戈待旦（枕着兵器睡觉等待天明），立志报国，总是担心落在祖逖后边，不想他还是走到我的前头了！”

每天鸡叫后，祖逖和刘琨就起床练剑，春去冬来，寒来暑往，从不间断。功夫不负有心人，经过长期的刻苦学习和训练，他们终于成为了能文能武的全才。祖逖被封为镇西将军，率军北伐，一度收复了许多领土，实现了他报效国家的愿望；刘琨做了征北中郎将，兼管并、冀、幽三州的军事，也充分发挥了他的文才武略。

### 思考讨论

时间是很宝贵的，我们应该怎么合理安排时间？



## 文臣

**帝王有出震向离之象[1]，大臣有补天浴日之功[2]。三公上应三台[3]，郎官上应列宿[4]。宰相位居台铉[5]，吏部职掌铨衡[6]。**

### 注释

[1] 出震向离：震、离都是八卦卦名。震在东方，离在南方，太阳由东向南，到了中天，光照万物，这正是帝王的气象。[2] 补天浴日：神话中女娲炼五色石补天，羲和给太阳洗澡。后用来比喻力挽世运，功勋卓著。 [3] 三公上应三台：三公与天上的三台星对应。三公，古代官职系统，各朝设置不同，明清以太

师、太傅和太保为三公。三台，星座名。上台、中台、下台为三台，先六星，两两而居。后用以比喻辅佐皇帝执掌朝政的“三公”。[4]郎官上应列宿：郎官与天上的众星宿对应。郎官，帝王侍从官的通称。列宿，排列的星宿，即众星宿。 [5]宰相：我国封建时代对君主负责、总揽政务的人。历代所用官名和职权大小不同。台铉（xuàn）：台鼎。铉，鼎耳，代指鼎。鼎三足，有三公之象，故比喻宰辅重臣。 [6]吏部：官署名，主管全国官吏任命、考课、升降、调动等事务。铨（quán）衡：本指衡量轻重的器具，引申为评量、选拔人才的职位。

## 译文

帝王应当有如日中天、光照万物的气象；大臣应该有为天补缺、给太阳沐浴的功劳。三公与天上的三台星对应，郎官与天上排列的星宿对应。宰相在朝中的地位像“台铉”一样重要，吏部的职责是选拔、任免、考察官员。

## 延伸阅读

### 女娲补天

传说在洪荒时代，水神共工和火神祝融为争夺帝位而大打出手，最后祝融打败了共工，共工羞愤地朝西方的不周山撞去。结果，不周山崩裂了，天塌了半边，出现了一个大窟窿，地裂成一道道大裂纹，山林烧起了大火，洪水从地底下喷涌出来，毒虫猛兽也出来残害人类。

于是女娲决心补天。她周游四海，遍涉群山，到了天台山，取五色土为原料，又借来太阳神火，历经九天九夜，炼成了数万块五色巨石。然后她又历经九天九夜，用这些五彩石将天补好。

天补好了之后，还需要找到支撑天的东南西北四极的柱子。女娲找到背负着天台山的千年神龟，把它的四脚砍下来支撑四极；又斩杀了中原一条残害生灵的黑龙，把龙的尸体扔进地陷的地方，使大地恢复了平静。因为天台山失去神龟的负载就会沉入海底，女娲将它移到东海之滨的琅琊（láng yá）。

经过女娲一番辛苦整治，世界恢复了宁静，人类重新过上了安乐的生活。为了纪念女娲，人们在天台山下建立女娲庙，世代供奉。



### 思考讨论

你还知道其他关于女娲的神话故事吗？请说一说。

**唐玄宗以金瓯覆宰相之名[1]，宋真宗以美珠箝谏臣之口[2]。金马玉堂[3]，羡翰林之声价[4]；朱幡皂盖[5]，仰郡守之威仪[6]。**

### 注释

[1] 金瓯(ōu): 金碗。 [2] 箝(qián)：同“钳”，钳制。[3] 金马玉堂：汉代有金马门和玉堂殿，是学士待诏和议事的地方。后以指官位显赫，也指翰林院。 [4] 声价：名声和社会地位。[5] 朱幡皂盖：红色的旗帜、黑色的车盖。 [6] 威仪：帝王或大臣出行时的仪仗、随从。

### 译文

唐玄宗选宰相，先用金碗覆盖宰相的名字；宋真宗封禅泰山，先用美珠堵住谏臣的嘴巴。“金马”和“玉堂”，是说羡慕翰林的声望和社会地位;“朱幡”和“皂盖”,是说仰慕郡守出行时的仪仗威风。

## 延伸阅读

### 金瓯覆名

崔琳，唐代贝州武城（今属山东）人，擅长书法、谙达政事，宰相宋璟十分器重他，说：“古代的事情问高仲舒，当今的事情问崔琳，没有什么事是他们不知道的。”

崔琳海内人望，地位显赫，与弟弟崔珪、崔瑶都做了高官，出行都列仪仗，号称“三戟”。当时的达官显贵、学者士人与崔家交游往来十分广泛。每次崔家宴客时,用一张大榻专门摆放笏（hù）板，还重重叠叠地摆放不下。

唐玄宗天宝二年（743)，崔琳去世，秘书监官员潘肃痛哭流涕地说：“他是古代遗留给人民的恩惠啊。”而崔琳长子崔俨，带着兄弟子侄几十人去大明宫奔丧，车马、仆从众多，十分壮观。

起初，唐玄宗每次选宰相，总是先把准备任命的人的名字写在纸上。一次，唐玄宗写了崔琳等人的名字，刚用金瓯罩住，恰好太子进来了，玄宗问他：“这里面是未来宰相的名字，你猜猜是谁？猜中了我赐给你酒喝。”太子说：“大概是崔琳、卢从愿吧？”玄宗说：“真的让你猜对了。”于是赐酒给太子。

当时,崔琳、卢从愿的声望都很高,唐玄宗几次想任命他们为相,可是考虑到他们是名门望族，裙带关系复杂，最终没敢起用。

## 思考讨论

唐玄宗为什么没有选崔琳做宰相？

**府尹之禄二千石[1]，太守之马五花骢[2]。代天巡狩[3]，赞称巡按；指日高升[4]，预贺官僚。初到任曰下车[5]，告致仕曰解组[6]。**

## 注释

[1]禄：俸禄。石（dàn）：容量单位，十斗为一石。 [2]五花骢（cōng）：汉代太守出巡时，一车五马，故以“五马”称太守。骢，青白相间的马，也泛指马。 [3]代天巡狩（shòu）：代替天子出巡。古代皇帝五年出巡一次，视察各地。 [4]指日高升：很快就能升官。指日，为期不远。 [5]下车：官吏到任。[6]告：表示，请求。致仕：年老退休。解组：解下印绶。组，古人佩玉或佩印的丝带子，这里指印绶。

## 译文

府尹的俸禄是两千石，太守出巡拉车的马有五匹。代替天子出巡，这是赞美巡按的话；“指日高升”，这是预祝官吏升职的言辞。官员初次上任叫“下车”，告老还乡叫“解组”。

## 延伸阅读

### 中国古代的选官制度

选官制度就是选拔官员的制度，在古代称为选举制。秦汉以前选举制以世袭为主，秦汉以后以举荐和考试为主。

夏、商、周三代实行的选官制度是世卿世禄制度，即根据家庭出身和等级任命官员，职位世袭。朝廷的官员由天子任命，诸侯国的官员由诸侯任命。

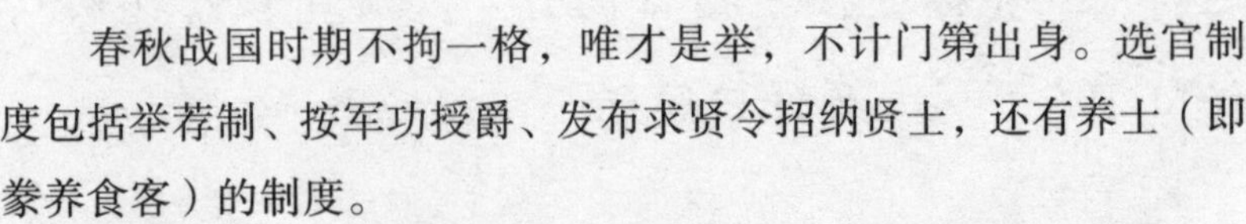

春秋战国时期不拘一格，唯才是举，不计门第出身。选官制度包括举荐制、按军功授爵、发布求贤令招纳贤士，还有养士（即豢养食客）的制度。

秦汉以后，我国的选官方式主要有三种：察举制、九品中正制和科举制。



察举制，就是观察应选的人是否贤能，然后决定是否举以授官。汉高祖刘邦开其先河，汉武帝时达到完备，主要通过郡守考察推荐，写明被推举者的个人材料，上报朝廷，然后由中央官员进行核查，根据情况分别授予官职。

九品中正制，也是举荐制的一种，由三国时魏文帝曹丕开始推行。主要通过设置中正官，察访士人，评定等第，按品授官。品是等级的意思，共分为上上、上中、上下、中上、中中、中下、下上、下中、下下九品。等第高低原则上根据德才，适当考虑家世。到后来，品第人物主要看出身。

科举制，即采用科举考试选拔官吏，始于隋文帝时期，一直延续到清末。通过层层考试，选拔最优秀者，授予官职。科举制相对公平公正，提高了官吏的素质。

### 思考讨论

中国古代的选官制度有哪几种？各有什么特色？

**召伯布文王之政[1]，尝舍甘棠之下[2]，后人思其遗爱[3]，不忍伐其树；孔明有王佐之才[4]，尝隐**

**草庐之中[5]，先主慕其令名[6]，乃三顾其庐。**

## 注释

[1]召（shào）伯：周文王的庶子，又称召公，曾辅佐周武王灭商。文王：周文王姬昌。 [2]舍（shè）：住宿，休息。[3]遗爱：遗留下来的恩惠恩泽。 [4]孔明：诸葛亮，三国蜀汉政治家、军事家。王佐之才：指谋臣具有非凡的治国能力。[5]草庐：简陋的草屋。 [6]先主：这里指刘备，三国蜀汉的建立者。令名：美好的名声。

## 译文

召伯施行周文王的政令，曾经在一棵甘棠树下住过，后人怀念他的恩德，不忍心砍伐那棵甘棠树；诸葛亮有辅佐帝王的才能，曾经隐居在简陋的草屋中，蜀汉先主刘备敬慕他的美名，三次到他的草屋拜访，请他出山。

## 延伸阅读

### 三顾茅庐

东汉末年，曹操挟天子以令诸侯，坐据朝廷。孙权拥兵自重，割据东吴之地。刘备势单力孤，各处投奔，苦于没有根据地。

后来，刘备听说南阳有个隐士叫诸葛亮，胆识谋略无人能及，就带着礼物，与关羽、张飞一起去请他出山辅佐自己。不巧的是，诸葛亮刚好出门，刘备一行失望而归。

不久之后，刘关张三人冒着大风雪，第二次去请诸葛亮出山。谁知诸葛亮又出去闲游了。刘备非常无奈，只好留下一封信，表

“三顾茅庐”青花瓷板

达了自己对诸葛亮的敬佩以及请他出山帮助自己的意愿。

过了一段时间，刘备斋戒三天，准备再去请诸葛亮。关羽认为诸葛亮也许徒有虚名，未必有真才实学，不必三番五次去请。张飞则准备自己一人去请，如果他不肯来，就用绳子把他捆来。刘备把张飞责备了一顿，带着他们第三次去请诸葛亮。他们到诸葛亮家时，恰好是中午，诸葛亮正在睡觉。刘备没有惊动他，一直等到他醒来，才坐下谈话。

诸葛亮见刘备志向远大，而且言辞诚恳，态度谦卑，内心深受感动，答应出山相助。交谈中，诸葛亮对天下形势作了非常精辟的分析，刘备十分叹服，当即尊诸葛亮为军师，高兴地说：“我有了孔明，就好像鱼有了水一样！”

诸葛亮初出茅庐，就帮刘备打了不少胜仗，为刘备建立蜀汉政权打下了坚实的基础。

## 思考讨论

根据上述故事，说说刘备是个什么样的人。

# 武　职

**韩柳欧苏[1]，固文人之最著[2]；起翦颇牧[3]，乃武将之多奇。范仲淹胸中具数万甲兵[4]，楚项羽江东有八千子弟[5]。孙膑吴起[6]，将略堪夸[7]；穰苴尉缭[8]，兵机莫测[9]。**



## 注释

[1] 韩柳欧苏：指唐代文学家韩愈、柳宗元和宋代文学家欧阳修、苏轼。　[2] 固：确实。　[3] 起翦（jiǎn）颇牧：指战国时秦国大将白起、王翦，赵国大将廉颇、李牧。　[4] 范仲淹：字希文，苏州吴县（今属江苏）人，北宋著名的政治家、军事家、文学家。宋仁宗时范仲淹曾镇守延州，固守边防，抗拒西夏。西夏人认为范仲淹"腹中自有数万甲兵"，不敢贸然来犯。具：具有。甲兵：铠甲和兵器，引申为全副武装的兵士。　[5] 项羽：名籍，字羽，下相（今属江苏）人，秦末起义军领袖，我国古代杰出的军事家和政治人物。秦二世元年（前249），项羽随叔父项梁起义，收吴中子弟八千人。江东：古时候泛指长江下游的芜湖、南京以下的南岸地区。　[6] 孙膑（bìn）：战国时著名的军事家，著有《孙膑兵法》。吴起：战国时著名的军事家，著有《吴子兵法》。

[7] 将略：用兵的策略。　　[8] 穰苴（ráng jū）：即田穰苴，春秋时著名的军事家，因官齐国司马，人称司马穰苴，著有《司马穰苴兵法》。尉缭：战国时著名的军事家，著有《尉缭子》。

[9] 兵机：用兵的计谋。

## 译文

韩愈、柳宗元、欧阳修和苏轼，确是文人中最著名的大家；白起、王翦、廉颇和李牧，是武将中的奇才。北宋范仲淹抗拒西夏，胸中自有雄兵数万；楚霸王起兵反秦，从江东带了八千子弟。孙膑和吴起，用兵的策略值得夸赞；穰苴和尉缭，用兵的计谋变化莫测。



## 延伸阅读

### 围魏救赵

孙膑是战国时期著名的军事家。他与庞涓是同门，后来又一同为魏国效力。由于庞涓嫉妒孙膑的才能，将他削去膝盖骨，关进监狱。齐国大将田忌秘密将他营救到齐国，并让他出任军师一职。围魏救赵，是孙膑与庞涓之间的一场较量。

公元前 368 年，赵国在齐国支持下，出兵攻打魏国的属国卫国。魏惠王派大将庞涓率近十万大军围攻赵国的都城邯郸。赵国向齐国求救。齐国派出以田忌为大将、孙膑为军师的八万兵力援救赵国。

孙膑认为魏国军队很强大，如果正面交锋，会造成较大损失，所以应该避实就虚，趁魏国精锐部队在外，国内防守空虚的机会，攻打它的都城大梁，迫使魏军回救大梁，从而解除赵国的危险。

为争取战略主动，孙膑故意派无能的军官带兵进攻魏国的军事重镇平陵，结果齐军大败，给魏军制造了齐国部队弱小的假象。

魏国大将庞涓以为齐军不堪一击，于是加紧对赵国的进攻。

就在这时，孙膑亲自统率精锐部队直扑魏国国都大梁。庞涓得到消息，赶紧从攻打赵国的前线往回撤离，长途跋涉去保卫国都。因为兵困马乏，又陷入孙膑的包围圈中，结果魏军大败。

齐军避实击虚，以逸待劳，不仅援救了赵国，而且削弱了魏国的实力，创造了中国军事史上著名的“围魏救赵”战法，对后世有着深远的影响。

## 思考讨论



中国古代有很多军事家，你最佩服谁呢？为什么？

**姜太公有《六韬》[1]，黄石公有《三略》[2]。韩信将兵[3]，多多益善[4]；毛遂讥众[5]，碌碌无奇[6]。大将曰干城[7]，武士曰武弁[8]。**

## 注释

[1] 姜太公：商末周初人，本名吕尚，名望，字子牙，被尊为太公望，后人多称其为姜子牙、姜太公。《六韬》：兵书，传说为姜太公编著，包括文韬、武韬、龙韬、虎韬、豹韬、犬韬。[2] 黄石公：秦汉隐士，下邳（今属河南）人，又称“圯上老人”、“下邳神人”。《三略》：兵书，相传为姜太公所著，黄石公加以完善，分上略、中略、下略。　[3] 韩信：汉初军事家，淮阴（今属江苏）人。初从项羽，后归刘邦，拜为大将。　[4] 多多益善：越多越好。[5] 毛遂：战国时人，赵国平原君的门下食客。　[6] 碌碌无奇：平庸无能。碌碌，无能力、随从附和的样子。　[7] 干城：比喻

捍卫者，后用来比喻大将。干，盾牌。城，城墙。　　[8]武弁(biàn)：古代武士所戴的帽子，代指武士。弁，皮弁，用来制作帽子。

## 译文

姜太公著有兵书《六韬》，黄石公著有兵书《三略》。韩信率兵打仗，说兵越多越好；毛遂讥讽同去的门客，说他们平庸无能。大将保卫国家，被称为“干城”；武士头戴武冠，被称为“武弁”。

## 延伸阅读

毛遂讥众

秦兵攻打赵国，赵王派平原君赵胜向楚国求救。平原君选取了十九人准备一同前往。这时，门下有一个叫毛遂的人向平原君自我推荐说：“我听说先生将要到楚国去签订‘合纵’盟约，约定与门下食客二十人一同前往，可是还少一个人，就请用我凑足人数吧！”

平原君问道：“先生来到我赵胜门下有几年了？”

毛遂说：“三年了。”

平原君接着说：“贤能的人处在世界上，好比锥子处在布袋中，尖梢立即就会显现。如今，您在我的门下已经三年了，我没有听到一句关于您的赞语，这是您没有什么才能的缘故。恐怕您不能一同前去。”

毛遂说：“我不过是今天才请求进到布袋中罢了。如果我早就在布袋中的话，我会像禾穗那样，整个锋芒都会挺露出来，不仅仅是尖梢露出来而已。”

于是，平原君就带着毛遂一道前往楚国，另外十九人目露嘲讽之色，却都没有说出来。

到了楚国，平原君与楚国谈判，从早到晚，都没有结果。于是，毛遂手握剑柄登阶而上，向楚王严词陈述利害关系，迫使他同意订立“合纵”盟约。这时，毛遂对那十九人说：“先生们碌碌无为，就是常说的依赖别人才能办成事情的人啊。”

平原君说：“毛先生一到楚国，就使赵国的威望高于九鼎和大吕。毛先生三寸长的舌头，胜过上百万的军队。今后，我赵胜不敢再鉴选人才了。”于是把毛遂作为上等宾客对待。

## 思考讨论

毛遂是个什么样的人？你觉得他的什么精神最值得我们学习？

**胆破心寒[1]，比敌人慑服之状[2]；风声鹤唳[3]，惊士卒败北之魂。汉冯异当论功[4]，独立大树下，不夸己绩；汉文帝尝劳军[5]，亲幸细柳营[6]，按辔徐行[7]。**

## 注释

[1]胆破心寒：形容极度害怕的样子。　[2]慑服：因畏惧而顺从。　[3]风声鹤唳（lì）：风的呼声和鹤的叫声。形容惊慌失措或互相惊扰。　[4]冯异：字公孙，东汉颍川父城（今属河南）人，东汉开国名将。在刘秀统一天下的过程中立有大功，封应侯。[5]汉文帝：西汉皇帝刘恒。劳军：慰问军队官兵。　[6]幸：指皇帝驾临。细柳营：汉文帝时，匈奴大举入侵，周亚夫为将军，屯军细柳（今属陕西），纪律严明。后也称纪律严明的部队为细柳营。[7]辔（pèi）：驾驶牲口的缰绳。

## 译文

胆破心寒，比喻敌人畏惧惊恐的状况；风声鹤唳，形容士卒逃跑时失魂落魄的样子。东汉将军冯异，当将军们坐在一起评论功劳时，他却独自退避大树下，不去夸耀自己的功绩；汉文帝曾经慰劳军队，亲自临幸周亚夫的细柳营，遵守军纪牵着马的缰绳缓缓地走进去。

## 延伸阅读

### 风声鹤唳

公元383年，前秦皇帝苻坚率领九十万大军，南下攻打东晋。东晋王朝以谢石为大将、谢玄为先锋，带领八万精兵迎战。

苻坚认为自己兵多将广，有足够的把握打败晋军。他把兵力集结在寿阳（今属安徽）东面的淝水边，准备等待后续大军到齐，再向晋军发动进攻。

为了以少胜多，谢玄施出计谋，派使者到秦营，向秦军的前锋建议道："贵军在淝水边安营扎寨，显然是为了持久作战，而不是速战速决。如果贵军稍向后退，让我军渡过淝水决战，不是更快更好吗？"秦军内部讨论时，众将领都认为，晋军不能过河，只能坚守淝水。待后续大军抵达，即可彻底击溃晋军。因此不接受晋军的建议。

但是，苻坚求胜心切，不同意众将领的意见，说："我军只要稍稍后退，等晋军一半过河、一半还在渡河时，派精锐的骑兵前去冲杀，我军肯定能大获全胜！"

于是，秦军决定后退。苻坚没有料到的是，秦军是临时拼凑起来的，人心不齐。一接到后退的命令，谢玄事先安排在秦军中的内奸就散播“秦军大败”的消息。秦兵以为前方打了败仗，慌忙溃逃。谢玄见敌军溃退，指挥部下快速渡河杀敌。秦军在溃退途中丢盔弃甲，一片混乱，自相践踏而死的不计其数。那些侥幸逃脱的士兵，一路上听到呼呼的风声和鹤的鸣叫声，以为晋军又追来了，更加拼命地奔逃。就这样，晋军取得了淝水之战的重大胜利。

### 思考讨论

淝水之战是历史上著名的以少胜多的战役，想想苻坚为什么失败。

**求士莫求全，毋以二卵弃干城之将[1]；用人如用木，毋以寸朽弃速抱之材[2]。总之君子之身，可大可小；丈夫之志，能屈能伸[3]。**

### 注释

[1] 卵：鸡蛋。 [2] 速抱：两人合抱。 [3] 能屈能伸：能弯曲也能伸直。指人在不得志时能够忍耐，在得志时能够施展抱负。

### 译文

求才不必苛求十全十美，不要因为两枚鸡蛋就放弃了真正能捍卫国家的将才；用人就像使用木材，不要因为一寸朽木就抛弃了两人合抱的好木材。总而言之，对于才德之人，可以小用，也可以大用；有远大志向的人，一定要做到能屈能伸。

## 延伸阅读

### 二卵弃干城

战国时期，孔子的孙子子思在卫国做官。他向卫国国君推荐苟变为大将，说他的指挥才能卓越，能够指挥五百驾战车。

当时一驾战车称为一乘，每乘配备披甲的战士三名，车下跟随步兵七十二人。指挥五百驾战车，相当于指挥三万七千五百人，由此可见，苟变军事才能确实突出。

然而，卫国国君却说："我也知道以他的才能，确实能够胜任大将的职位。可是，他以前犯过一个错误。他曾经在某地当过一个小官吏，有次征收赋税时吃了老百姓两个鸡蛋。因为这个原因，我没有重用他。"

子思听了国君的话，说道："圣人选人任官，就好像木匠使用木料，应当选取他们的长处，忽略他们的短处。所以，一棵粗大的良木，即使有几尺腐朽的地方，高明的木匠是不会丢弃它的。现在国君您处于战国这样的纷争之世，正要寻找能够保家卫国的人才。因为两个鸡蛋而舍弃一员大将，这件事一定不能够让邻国知道呀。"

国君听了这番话，顿时觉得很有道理，一再拜谢说："我接受您的指教。"

## 思考讨论

每个人都会犯错,关键是如何对待。请回忆一下你做过的错事,说说你从中吸取了什么教训。

# 卷　二

## 祖孙父子

**何谓五伦[1]？君臣、父子、兄弟、夫妇、朋友。何谓九族[2]？高、曾、祖、考[3]、己身、子、孙、曾、玄。始祖曰鼻祖[4]，远孙曰耳孙[5]。**



### 注释

[1]五伦：封建宗法社会以君臣、父子、兄弟、夫妇、朋友等五种关系为五伦，也称“五常”。　[2]九族：指自身以及自身以上的父、祖、曾祖、高祖和以下的子、孙、曾孙、玄孙。也有包括异性亲属的，如以父族四、母族三、妻族二为“九族”。族，有血缘关系的亲属。　[3]考：对已故父亲的尊称。　[4]始祖：最初得姓的祖先，后称可考的最早祖先。鼻祖：初祖，始祖。鼻，创始、开端。　[5]耳孙：泛指远代孙。离高祖很远，只是听说过，没有见过，所以叫耳孙。

### 译文

什么叫做五伦？五伦就是指君臣、父子、兄弟、夫妇、朋友之间的五种人伦关系。什么叫做九族？九族就是指高祖、曾祖、祖父、父亲、自身、儿子、孙子、曾孙、玄孙九辈具有血缘关系的直系亲属。最早的祖先称为“鼻祖”，远代子孙叫“耳孙”。

## 延伸阅读

### 五　伦

所谓“五伦”，是指中国传统社会基本的五种人伦关系，即父子、君臣、夫妇、兄弟、朋友五种关系。五伦关系中的双方都要遵守一定的“规矩”，即父子有亲、君臣有义、夫妇有别、长幼有序、朋友有信。

父子有亲是指父慈子孝，父母要懂得如何用慈爱、智慧来教导下一代，而孩子也要知道常常关怀、体贴父母，以尽孝道。

君臣有义是指君仁臣忠。君仁，是处处替下属着想，甚至于替他的家庭着想。臣忠，是忠于君主，忠于他的职责，忠于他的团体。

夫妇有别是指夫义妇顺，即在家庭中承担不同的责任。丈夫要扶持自己的妻子，扶持她教育好孩子。妻子则是“相夫教子”，要对家庭负责，对丈夫负责，对下一代的教育负责。

长幼有序是指兄友弟恭，即哥哥要对弟弟关怀备至，弟弟要敬重哥哥。当有过失的时候，兄弟之间要懂得劝诫。

朋友有信是指朋友之间交往要有信义，讲究信用。若有过错，劝而改之；若有善事，助而成之。

这五伦关系是所有人都必须面对的最基本的伦理关系。因此中国古人说“人无伦外之人”，即不存在生活在伦理关系之外的人。

## 思考讨论

身在社会中，你和这个社会上的人有哪几种关系？请举例说明。

**生子当如孙仲谋[1]，曹操羡孙权之语[2]；生子须如李亚子[3]，朱温叹存勖之词[4]。菽水承欢[5]，贫士养亲之乐；义方是训[6]，父亲教子之严。**

## 注释

[1] 孙仲谋：即孙权，吴郡富春（今属浙江）人，三国时吴国的建立者。 [2] 曹操：字孟德，小名阿瞒，沛国谯县（今属安徽）人，三国时魏国的奠基人和主要缔造者。曹丕称帝后，追尊他为魏武帝。 [3] 李亚子：即李存勖（xù），小名亚子，五代后唐的建立者，沙陀部人，李克用之子。 [4] 朱温：五代后梁的建立者，与李氏父子长期征战。 [5] 菽（shū）水承欢：用豆子和清水供养父母，使他们高兴。菽水，豆子和水，泛指粗茶淡饭。承欢，供养父母，使他们高兴。 [6] 义方是训：用规矩和法度来教训。义方，行事应该遵守的规矩和法度，后多指家教。

## 译文

"生子当如孙仲谋"，这是曹操称赞孙权的话；"生子须如李亚子"，这是朱温赞叹李存勖的话。粗茶淡饭也能使父母高兴，这是贫穷士人奉养双亲的乐趣；行事要遵守规矩和法度，这是父亲教育子女的严格准则。

## 延伸阅读

### 生子当如孙仲谋

孙权像

孙权，字仲谋，长沙太守孙坚次子，幼年跟随兄长吴侯孙策平定江东。孙策早逝，孙权继位为江东之主，后来称帝，正式建立吴国。

作为一名守成之主，孙权以精通政治、善于用人为特点，在他的周围，聚集了周瑜、吕蒙、陆逊等一大批杰出的军事统帅。孙权也非常有胆识、有魄力，具有独特的个人魅力。

建安十八年（213），曹操率领四十万大军进攻濡须口（今属安徽）。头阵就击破了孙权的江西阵营，生擒了都督公孙阳。孙权率七万军队抵抗，兵力悬殊之下，仍然与之相持一个多月之久。曹操远远望见孙权的军队，看见船舰整齐、队列整肃，知道孙权治军严明，不禁感叹道："生子当如孙仲谋，刘景升儿子若豚犬耳！"意思是说，生个儿子要像孙权那样才好。

不久，孙权亲自乘舟查看曹营情况，并写给曹操一封信："春水方生，公宜速去。"意思是说春雨绵绵，洪水将至，很不利于北方将士作战。又在另一张纸上写了八个字："足下不死，孤不得安。"就是说，如果你不死的话，我就不会安宁，你就需要处处提防我。这句话中隐隐暗含着杀机。曹操读了信之后，对手下各位将领说："孙权没有欺骗我啊！"于是下令撤军，回到邺（yè）城。那一年，曹操六十二岁，而孙权刚过而立之年。

## 思考讨论

三国人物中你最喜欢哪一位？为什么？

**具庆下[1]，父母俱存；重庆下[2]，祖父俱在。燕翼贻谋[3]，乃称裕后之祖[4]；克绳祖武[5]，是称象贤之孙[6]。**

## 注释

[1]具庆：父母都健在，共同欢庆。如果母亡父在，称“严侍下”；如果父亡母在，称“慈侍下”；如果父母俱亡，称“永感下”。

[2]重庆：指祖父母、父母都健在。 [3]燕翼贻谋：像燕子用翅膀覆养乳燕，给后代留下好的谋划。贻，遗留。 [4]裕后：为后代造福。 [5]克绳祖武：比喻能够继承祖先的功业。克，能够。绳，继续。祖武，先人的遗迹、事业。武，足迹。

[6]象贤：效法先人的贤德。象，效法、模拟。

## 译文

“具庆下”，指的是父母都健在；“重庆下”，指的是祖父母、父母都健在。“燕翼贻谋”，称赞的是为子孙后代谋福惠的祖先；“克绳祖武”，赞扬的是能效法先人贤德的子孙。

## 延伸阅读

### 触龙说赵太后

战国时期，赵太后刚刚执政，秦国就派军攻打赵国，并迅速

占领了三座城市。赵国急忙向齐国求救。齐国说："只有将长安君送来当人质，才能派兵。"长安君是赵太后最疼爱的小儿子，太后根本无法接受这个条件。

于是，左师触龙去见太后。他说："我已经老了，想要在死前安排好小儿子的事情，请求太后允许他在王宫担任卫士。"太后不禁疑惑道："身为男人，难道也疼爱小儿子啊？"触龙答道："比女人爱得还深呢！"接着，两人开始了如何疼爱幼子的论争。

触龙说道："父母疼爱自己的孩子，就必须为他考虑长远的利益。历代赵国国君的子孙受封为侯，却都不长久，并不是因为他们德行不好，而是因为他们地位尊贵，俸禄优厚，有许多奇珍异宝，但对于国家却没有任何功劳和贡献。""现在长安君地位尊贵，封地广阔，宝物很多，可是如果不趁现在使他有功于国，有朝一日太后您不在了，长安君凭什么在赵国立身呢？"

听了这番话，太后准备了上百辆车子，将长安君送去齐国当人质。齐国于是出兵救赵。

### 思考讨论

赵太后为什么会改变主意，同意送长安君到齐国做人质？

**慈母望子，倚门倚闾[1]；游子思亲，陟岵陟屺[2]。爱无差等[3]，曰兄子如邻子[4]；分有相同[5]，曰吾翁即若翁[6]。**

## 注释

[1] 倚门倚闾（lǘ）：形容慈母期盼子女归来的殷切心情。闾，古代里巷的大门。 [2] 陟（zhì）岵（hù）陟屺（qǐ）：指久居在外的人想念父母。陟，登。岵，有草木的山。屺，无草木的山。 [3] 差等：等级，区别。 [4] 兄子如邻子：兄长的儿子和邻居的儿子是一样的。孟子曾说，有个小孩爬到井边，即将发生危险，不论是侄子还是邻居的儿子，都应该去救助。 [5] 分：名分，辈分。 [6] 吾翁即若翁：我的父亲就是你的父亲。楚汉战争中，项羽抓住刘邦的父亲，以烹杀他威胁刘邦投降。刘邦说，我和你同时受楚怀王之命，结为兄弟，我的父亲就是你的父亲。最后项羽没有杀刘邦的父亲。



## 译文

慈母靠着大门或巷口等待子女的归来，可以用“倚门倚闾”来形容；久居在外的游子思念父母，可以用“陟岵陟屺”来形容。关爱应该没有差别，对待自己的侄儿和邻居的孩子应该一样；长辈的名分应该相同，所以刘邦对项羽说：我的父亲就是你的父亲。

## 延伸阅读

### 孟母三迁

孟子，名轲，是战国时期的大思想家。他从小丧父，与母亲相依为命。孟母是个勤劳而有见识的妇女，她希望自己的儿子读书上进，早日成才。

最开始的时候，孟子和母亲住在墓地旁边。有一天，孟子和邻居的小孩一起学着大人跪拜、哭嚎的样子，玩起办理丧事的游戏。

孟子的母亲看到了，就皱起眉头，心想：“不行！我不能让自己的孩子住在这里了！”

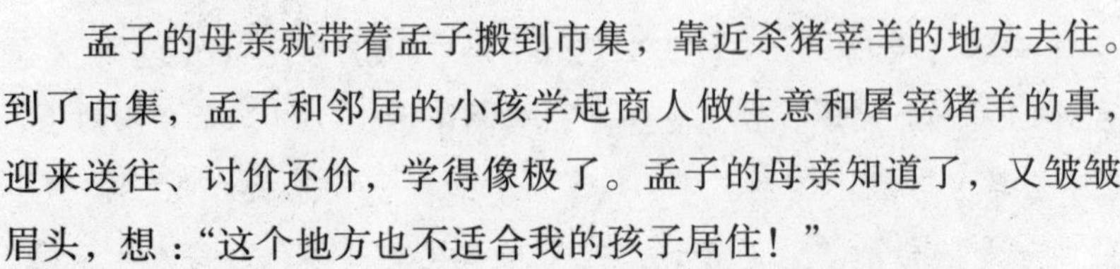

孟子的母亲就带着孟子搬到市集，靠近杀猪宰羊的地方去住。到了市集，孟子和邻居的小孩学起商人做生意和屠宰猪羊的事，迎来送往、讨价还价，学得像极了。孟子的母亲知道了，又皱皱眉头，想：“这个地方也不适合我的孩子居住！”

于是，他们又搬家了。这次，他们搬到了学校附近。孟子开始变得守秩序、懂礼貌、喜欢读书。每月夏历初一这个时候，官员到文庙，行礼跪拜，礼貌相待，孟子见了之后都学习记住。孟子的母亲很满意地点着头说：“这才是我儿子应该住的地方呀！”于是就在这个地方长期居住了下来。



### 思考讨论

孟母为什么要搬家？你支持她的做法吗？

## 兄　弟

**天下无不是底父母[1]，世间最难得者兄弟。须贻同气之光[2]，无伤手足之雅[3]。玉昆金友[4]，羡兄弟之俱贤；伯埙仲篪[5]，谓声气之相应。**

### 注释

[1] 天下无不是底父母：不管父母怎样，做子女的都应该孝

敬父母。底，的。　[2] 同气之光：做兄弟的时光。同气，同样的血气所生，指有血缘关系的亲属，后多指兄弟。　[3] 手足：比喻兄弟。雅：美好。这里指美好的情谊。　[4] 玉昆金友：也作“玉友金昆”，对他人兄弟的美称。昆，指兄。友，本指兄弟相互敬爱，这里指弟。　[5] 伯埙（xūn）仲篪（chí）：哥哥吹埙，弟弟吹篪，乐音和谐。形容兄弟之间声气相通。伯、仲，兄弟排行的次第，伯是老大，仲是老二。埙、篪，都是乐器。

## 译文



天下没有不值得孝敬的父母，人世间最难得的是兄弟。必须保持兄弟的情感，不要伤害兄弟的情谊。“玉昆金友”，是称羡兄弟都是贤人；“伯埙仲篪”，是形容兄弟之间声气相通。

## 延伸阅读

### 兄弟争死

汉朝时有一对兄弟，哥哥叫赵孝，弟弟叫赵礼，兄弟两人相依为命，十分友爱。

有一年，由于年景不好，粮食歉收，天下饥荒。一天，兄弟两人正在家里玩耍，一伙强盗破门而入，翻箱倒柜，希望能够抢到一点粮食。

兄弟俩都还很小，一看强盗冲进来了，就吓得直往门外跑。弟弟赵礼因为弱小，跑得比较慢，被强盗一把抓住。强盗们准备吃了他。哥哥赵孝本来是先跑出去的，回头一看弟弟没有跟上来，得知弟弟被强盗抓去，就立刻跑回去，只见到弟弟被绑在树上，树下支着一口铁锅，锅中的水已经煮沸了。

见到这样的情形，赵孝跪在凶恶的强盗面前，哀求说："我弟弟有病，身上没有多少肉，你们还是把他放了吧。我身体胖，你们就吃我吧。"

赵孝的这一番话使得强盗们愣住了，他们哪里见过为了弟弟甘愿去死的人啊。而这时弟弟赵礼忙在旁边喊道："我被你们抓住吃掉，都是我命中注定的。我哥哥已经跑了，他有什么罪过？没有吃我哥哥的道理！应该吃我！"听到这些话，赵孝扑向弟弟，兄弟俩抱成一团痛哭。

最后，穷凶极恶的强盗被这兄弟俩的友爱之情感动了，就放了两人回村。这件事情后来被当朝皇帝知道了，皇帝不仅下令褒奖兄弟俩，还下诏书将他们的事迹昭示天下，让人们效仿学习。

## 思考讨论

你有兄弟姐妹吗？在学习和生活中遇到困难的时候，你们是怎么解决的？

**元方季方俱盛德[1]，祖太丘称为难弟难兄[2]；宋郊宋祁俱中元[3]，当时人号为大宋小宋。荀氏兄弟，得八龙之佳誉[4]；河东伯仲[5]，有三凤之美名[6]。**

## 注释

[1]元方季方：东汉人陈纪和陈谌。陈纪，字元方；陈谌，字季方，是陈纪的弟弟。 [2]太丘：陈纪和陈谌的父亲陈寔（shí），曾经在河南太丘做过官，称陈太丘。难弟难兄：称赞兄弟才德俱佳，也指两人同样恶劣，或处于类似的困境。 [3]宋郊宋祁：北宋

时两兄弟。宋郊，字公序，后改名庠。宋祁，字子京，是宋郊的弟弟。中元：考中状元。[4]八龙：东汉人荀淑有八个儿子，都很有才华，被称为“荀氏八龙”。[5]河东伯仲：战国、秦、汉时称今陕西西南部位为河东，唐以后泛指今山西全境。[6]三凤：唐朝河东人薛收和堂兄薛元敬、族兄薛德音都很有才名，被当时人称为“河东三凤”。

## 译文

东汉人陈元方和陈季方两兄弟才德高尚，父亲太丘令称他们是“难兄难弟”，难分高下；宋代人宋郊和宋祁都中过状元，当时人用“大宋”、“小宋”来称呼他们。东汉荀氏八兄弟，都很有才华，被当时人誉为“荀氏八龙”；唐代河东薛氏三兄弟，都具有才名，享有“河东三凤”的美称。

## 延伸阅读

### 难为兄，难为弟

东汉的时候，有个叫陈寔的人，办事公正，为人热心，乡中邻里遇到什么纠纷，自己解决不了时，就请他裁决。只要经过他的裁决，问题都能得到圆满的解决，纠纷双方也都很服气。因此，陈寔在家乡具有很高的威望。

陈寔有两个儿子，大的叫陈元方，小的叫陈季方。兄弟二人受到父亲的影响，品德也很高尚。陈元方的长子叫陈长文，陈季方的长子叫陈孝先。有一天，长文和孝先在一起谈论父辈的人品修养谁高谁低，他们都极力夸耀自己父亲，觉得自己父亲的品德才是最高的，因此争论得不可开交。

这两个孩子争论不出结果，就一起去找爷爷陈寔评理。陈寔听了两个孙子的争论，不禁哈哈大笑，但同时他也感到很为难，感叹道："元方难为兄，季方难为弟。"意思是说，元方实在是好啊，好得做他的弟弟都很难了；季方也很好，好得做他的哥哥也很难了。

从此，这句感叹被人们简缩成"难兄难弟"，"难兄"即"难为兄"，"难弟"即"难为弟"，意思是说，兄弟全都很好，难分高低。

## 思考讨论

你的父母有没有比较过你和兄弟姐妹或同学的成绩？你是怎么对待的？

**煮豆燃萁[1]，谓其相害；斗粟尺布[2]，讥其不容。兄弟阋墙[3]，谓兄弟之斗狠；天生羽翼[4]，谓兄弟之相亲。**

## 注释

[1] 煮豆燃萁（qí）：用豆茎作燃料煮豆子。比喻兄弟间自相残杀。萁，豆茎。　[2] 斗粟尺布：比喻兄弟因利害冲突不能相容。汉文帝的弟弟谋反，被流放到蜀郡，绝食而死。老百姓唱道："一尺布，尚可缝；一斗粟，尚可舂。兄弟二人不相容。"　[3] 兄弟阋（xì）墙：指兄弟之间的纠纷，比喻内部争斗。阋，争斗。　[4] 天生羽翼：天然生长的羽毛和翅膀。比喻兄弟间相亲相助。

## 译文

“煮豆燃萁”，说的是兄弟间自相残害；“斗粟尺布”，讥讽的是兄弟间不能相容。“兄弟阋墙”，指的是兄弟间争强斗狠；“天生羽翼”，是说兄弟间相亲互助。

## 延伸阅读

### 煮豆燃萁

曹植是曹操的第三个儿子，自幼才华出众，精通天文地理，深得曹操的疼爱，曹操曾几次想立他为太子。他的哥哥曹丕对此一直耿耿于怀，一心想置他于死地。

公元220年，曹丕继任魏王，由于担心留曹植和曹熊（曹操第四子）会有后患，所以就以父亲曹操亡故时他们没来看望为理由，逼问他们。曹熊因为害怕而自杀，曹植则被押进朝廷。曹丕的母亲卞氏开口求情，曹丕勉强给了曹植一个机会：他命曹植在七步之内以“兄弟”为题写一首诗，但是诗中不能出现“兄弟”二字，不然就是欺骗君主，要把他处死。

曹丕说完，曹植便迈出了第一步。突然，他闻到了从远处飘来的阵阵煮豆的香味，接着在刚走到第六步时就写了一首脍炙人口的诗歌：“煮豆持作羹，漉菽（shū）以为汁。萁在釜下燃，豆在釜中泣。本自同根生，相煎何太急？”这首诗用同根而生的萁和豆来比喻同父共母的兄弟，用萁煎其豆来比喻同胞骨肉的哥哥残害弟弟，表现了曹植对兄弟相逼、骨肉相残的不满与厌恶。

曹丕听了深感惭愧，于是放过了他。

## 思考讨论

如果你和兄弟姐妹或同学发生矛盾，你会怎么办呢？

**姜家大被以同眠[1]，宋君灼艾而分痛[2]。田氏分财[3]，忽瘁庭前之荆树[4]；夷齐让国[5]，共采首阳之蕨薇[6]。**

## 注释

[1] 姜家大被：东汉姜肱（gōng）兄弟三人友爱，常常盖着一床大被子睡在一起。 [2] 宋君：指宋太祖赵匡胤（yìn）。灼艾而分痛：宋太祖赵匡胤与太宗赵匡义友爱的故事，比喻兄弟友爱。一次，赵匡义病得厉害，赵匡胤亲自为他烧艾火治疗。赵匡义觉得很疼，赵匡胤便用艾火灼烧自己，表示替他分担痛苦。

[3] 田氏分财：《隋史》记载，田真、田广、田庆兄弟三人商议分家产，连院中荆树也要分成三份，第二天发现荆树枯萎。兄弟大惊，于是决定不分家，荆树又枝繁叶茂。 [4] 瘁（cuì）：劳累，这里指枯萎。 [5] 夷齐让国：商末伯夷、叔齐相互推让国君之位。

[6] 首阳：首阳山，在今山西省境内。蕨（jué）薇：两种草本植物，嫩芽可以食用，这里泛指野菜。

## 译文

东汉姜肱兄弟非常友爱，常常盖着一床大被子一起睡觉；宋太祖赵匡胤用艾火灼烧自己，来分担弟弟的痛苦。隋朝田氏三兄弟商议分家产，院子里的一棵荆树忽然枯萎；商末伯夷、叔齐相互推让国君之位，后来武王灭商，二人耻食周粟，避居首阳山，采摘野菜充饥。

## 延伸阅读

### 夷齐让国

相传伯夷、叔齐是商朝末年孤竹国国君的长子和三子。孤竹国国君在世时，想立叔齐为继承人。国君死后，叔齐要把王位让给长兄伯夷。伯夷说："你当国君是父亲的遗命，怎么可以随便改动呢？"于是伯夷逃走了。叔齐也不肯当国君，也逃走了。百姓就推孤竹国国君的二儿子继承了王位。

伯夷、叔齐兄弟之所以让国，其实是出于对商纣王暴政的不满，不愿与之合作。他们隐居渤海之滨，等待清平之世的到来。后来听说周文王是位有道德的人，兄弟二人便长途跋涉来到周的都邑岐山。此时，周文王已死，武王即位。当时，周武王正带着装有周文王尸体的棺材，准备挥兵伐纣。伯夷拦住武王的马头进谏说："父亲死了不埋葬，却发动战争，这叫做孝吗？身为商的臣子却要弑杀君主，这叫做仁吗？"周围的人要杀伯夷、叔齐，被统军大臣姜尚制止了。

周武王灭商后，成了天下的共主。伯夷、叔齐却以归顺西周而感到羞耻。为了表示气节，他们不再吃西周的粮食，隐居在首阳山，以山上的野菜为食。周武王派人请他们出山，并答应以天下相让，他们仍拒绝出山。后来，一位山中妇人对他们说："你们不吃周朝的米，可是你们采食的这些野菜也是周朝的呀！"妇人的话提醒了他们，于是他们就连野菜也不吃了，最后饿死在首阳山脚下。

## 思考讨论

中国古代讲究兄友弟恭，你还知道哪些兄弟谦让的故事呢？

# 师 生

**马融设绛帐[1]，前授生徒[2]，后列女乐[3]；孔子居杏坛[4]，贤人七十，弟子三千。称教馆曰设帐[5]，又曰振铎[6]；谦教馆曰糊口[7]，又曰舌耕[8]。**

## 注释

[1]马融：字季长，右扶风茂陵（今属陕西）人，东汉经学家、文学家，当时有名的大儒。绛（jiàng）帐：红色帷帐。绛，红色。因马融设绛帐讲课，后来代指师长或讲座，表示尊敬称美。

[2]生徒：学生门徒。 [3]女乐：女子乐队。 [4]孔子：春秋末期思想家、政治家、教育家，儒家创始人。杏坛：相传为孔子讲学处。后也泛指聚徒讲学处。 [5]教馆：执教的馆舍，这里指执教的人。 [6]振铎（duó）：摇响有舌的铃铛。古人布政施教时，常常摇响铃铛以吸引民众。后引申为从事执教工作的代称。铎，有舌的大铃。 [7]糊口：本义是吃粥，用来形容生活艰难，勉强度日。 [8]舌耕：授徒讲学的人以口舌谋生，正如农民靠耕种获得粮食，故称讲学为“舌耕”。

## 译文

马融设红色帷帐讲课，前面是受业的学生，后面排列的是女子乐队；孔子在杏坛讲学，先后有弟子三千人，其中德才突出的有七十人。称人设馆教学叫做“设帐”，又叫做“振铎”；自谦设馆教学，可说是“糊口”，又可说“舌耕”。

## 延伸阅读

### 绛帐传薪

东汉学者马融，博通经籍，娴于文辞，被当时人称为“通儒”。他曾在朝廷藏书的地方主持校勘的工作，因得罪权贵，仕途坎坷，后来就辞掉官职，回到家乡扶风（今属陕西）教授学生。

马融教授方式特别有趣，他坐在高高的土台之上，搭起绛红色帐篷，在前面教授弟子门徒，后面则排列着女子乐队。他一边欣赏女乐们悦耳的丝竹演奏，一边手把高头讲章侃侃而谈。这种耳目一新的授徒方式，使得听课的学生通常有上千人之多，而十分出众的据说就有五十余人，比如郑玄、卢植，都是其中的佼佼者。

为了规范教学秩序，马融还制定了受业学生应该遵守的严格学规。在课堂听讲时，不许交头接耳，大声喧哗；不准贪看歌舞，精力旁骛；所留作业，要按时独立完成，等等。传说有一次一名学生违反学规，马融就拿着草秸生气地打了他一顿，直到鲜血染红了秸秆，他才把它扔到地上。后来，地上的秸秆居然复活了，并且还开花结果，当时人们都感到十分神奇，就称这种草为“传薪草”。“绛帐传薪”的故事，至今广为流传。

## 思考讨论

你喜欢上课严肃的老师还是和蔼可亲的老师？为什么？

**师曰西宾[1]，师席曰函丈[2]。学曰家塾[3]，学俸曰束脩[4]。桃李在公门[5]，称人弟子之多；苜蓿长阑干[6]，奉师饮食之薄。**

## 注释

[1] 西宾：坐西面东的宾客。后来成为对家塾教师或幕僚的敬称。　[2] 师席：教师的坐席。函丈：讲学者和听讲者坐席之间相距一丈。常用作对老师或长辈的尊称，后专用于弟子对老师的敬称。　[3] 家塾：相传周代以二十五家为一闾，闾有巷，巷首门边设家塾，用以教授居民子弟。后指聘请教师来家教授自己子弟的私塾。　[4] 学俸：旧称教师的薪水。束脩（xiū）：十条干肉为束脩。原指古代诸侯相互赠送的礼物，后指送给老师的报酬。脩，干肉。　[5] 桃李：本指桃树和李树，因结的果实多，所以常用来比喻培养的学生或举荐的人才众多。　[6] 苜蓿（mù xu）长阑干：形容教师生活的清贫。苜蓿，一种草本植物。阑干，纵横散乱的样子。

## 译文

家塾教师被尊称为“西宾”，教师的坐席叫做“函丈”。在家里设馆教学叫做“家塾”，给教师的酬金叫做“束脩”。“桃李在公门”，是称道别人培养的学生多；“苜蓿长阑干”，是形容侍奉老师的饮食粗淡。

## 延伸阅读

### 桃李在公门

狄仁杰像

狄仁杰，字怀英，太原（今属山西）人。唐代杰出的政治家，武则天当政时期宰相，不畏权贵，向朝廷举荐了一大批优秀人才。

作为历史上第一位女皇，武则天改国号“唐”为“周”，深为李唐旧臣反感。为了巩固统治，武则天思贤若渴，唯才是举。有一次她要求狄仁杰推荐将相人才，狄仁杰说：“荆州长史张柬之，是个将相之才。”武则天于是将张柬之调为洛州司马。过了一段时间，武则天又要求狄仁杰推荐人才。狄仁杰说：“之前推荐的张柬之还没得到任用。”武则天回答说：“我不是将张柬之提拔了吗？”狄仁杰说：“张柬之可以做宰相，而不只是司马。”于是，武则天又将张柬之升为秋官侍郎，之后提拔为宰相。狄仁杰还先后举荐了桓彦范、窦怀贞、敬晖、姚崇等数十位忠贞廉洁、精明干练的官员。武则天将他们委以重任，政风为之一变，朝中出现了一股刚正之气。后来，他们都成为唐代中兴名臣。

有人赞叹狄仁杰说：“你真是位了不起的人物，朝廷里有才能的大臣都是你推荐的。可以说是‘天下桃李，悉在公门’了呀。”狄仁杰回答道：“推荐有才能的人是为国家效力，不是为私人，这是我应该做的。”

“天下桃李，悉在公门”比喻长者或老师所培养的精英后辈和学生遍布天下各地，也称为“桃李满天下”。

## 思考讨论

请回忆你进入学校以来的学习生活，说说最感谢的一位老师及感谢他（她）的原因。

**冰生于水而寒于水[1]，比学生过于先生；青出于蓝而胜于蓝[2]，谓弟子优于师傅。未得及门[3]，曰宫墙外望[4]；称得秘授[5]，曰衣钵真传[6]。**

## 注释

[1]冰生于水而寒于水：语出《荀子·劝学》篇。意思是冰是水凝固而成的，但要比水寒冷。　[2]青出于蓝而胜于蓝：语出《荀子·劝学》篇。意思是，靛（diàn）青是从蓝草中提取出来的，但比蓝草的颜色更深。青，靛青，一种染料。蓝，蓼蓝，一种草名。[3]未得及门：还没有进入师门。　[4]宫墙外望：从房屋的围墙外向里张望。宫墙，房屋的围墙，后世称师门为“宫墙”、“门墙”。[5]秘授：秘密传授。　[6]衣钵（bō）真传：禅宗师徒间道法的授受，常付衣钵为信证，称为“衣钵相传”或“衣钵真传”。衣钵，佛教僧尼的袈裟和食器。

## 译文

“冰生于水而寒于水”，是形容学生胜过老师；“青出于蓝而胜于蓝”，是形容徒弟比师父优秀。还没有进入师门求教，叫做“宫墙外望”；形容已经得到师父的秘密传授，叫做“衣钵真传”。

## 延伸阅读

### 青出于蓝

“扬州八怪”之一的黄慎从小喜欢画画，并拜同郡的名画家上官周做老师。没过多久，他就把老师的全套技巧学到了手。

有一回，外地几个画师来看黄慎的画，家人捧出几轴，客人先误认为是上官周所画，比较清楚之后，不无遗憾地说：“黄慎聪明灵巧，真是把老师的看家本领学到手了！可这又算得了什么呢？别人的东西总是别人的，模仿得再像，人们也只说这是上官周的作品，谁会说是他黄慎的呢？”

黄慎听到这话，发誓要创出自己的风格。他日夜探索，常常到了废寝忘食的地步。有一天，黄慎在街上走着，忽然灵感来了。他急忙跑到附近一家店铺里，向店老板借来笔墨纸砚，在柜台上作起画来。围观的人一个个伸长脖子，瞪大眼睛看着他的画，只见上面寥寥几笔，像草书又不像草书，像画又不像画。一会儿，黄慎高兴地把画贴在柜台里边的墙壁上。

只见那张纸上竟清晰地出现了一个瘦骨嶙峋的纤夫，向前倾斜着身子，拉着纤绳，头上大汗淋漓，脚下步履艰难。店里的人们无不拍手惊叹。

上官周见黄慎画风自成一体，十分高兴，逢人便夸奖说：“古人云‘青出于蓝而胜于蓝’，果然不假，黄慎已超过我了。”

## 思考讨论

有没有老师不知道，你却知道的事情？有没有老师做不到，你却做得到的事情？请举例说一说。

负笈千里[1]，苏章从师之殷[2]；立雪程门[3]，游杨敬师之至[4]。弟子称师之善教，曰如坐春风之中[5]；学业感师之造成，曰仰沾时雨之化[6]。

## 注释

[1]负笈（jí）千里：背负书箱到千里之外求学。笈，书箱。 [2]苏章：字游卿，西汉北海（今属山东）人。 [3]立雪程门：尊师重道的典故。 [4]游杨：宋代人游酢（zuò）和杨时。 [5]如坐春风：就像坐在春风之中。比喻温和可亲的气象或境界，后比喻良师的教导。 [6]时雨之化：像及时的雨露，受其滋润感化。比喻及时得到了老师的教育和栽培。

## 译文

背负书箱到千里之外，可见西汉苏章从师求学的殷切心情；门外雪深已有一尺，仍然侍立在程颐的门边，可见游酢和杨时敬重老师的诚心到了极致。学生称赞老师善于教导，可以说“如坐春风之中”；感谢老师成就了自己的学业，可以说“仰沾时雨之化”。

## 延伸阅读

### 程门立雪

“程门立雪”这个成语家喻户晓，它出自宋代著名理学家杨时求学的故事。

杨时从小就聪明伶俐，四岁入村学，七岁能写诗，八岁能作赋，被人称为“神童”。他立志著书立说，曾在许多地方讲学，深受当时读书人的欢迎。在家乡时，他长期在含云寺和龟山书院，潜心攻读，写作教学。

有一年，杨时去浏阳县担任县令。途中，他不辞劳苦，绕道洛阳，拜程颐为老师，以求在学问上进一步深造。有一天，杨时与他的学友游酢，因对某个问题有不同看法，为了求得正确答案，他俩一起去老师家请教。

那时正值隆冬，天寒地冻，乌云密布。他们行至半途，寒风凛冽，大雪纷纷扬扬飘落下来。他们把衣服裹得紧紧的，匆匆赶路。来到程颐家时，正巧遇上先生打坐养神。杨时、游酢二人不敢惊扰老师，就恭恭敬敬侍立在门边，等候先生醒来。

过了很久，程颐一觉醒来，发现侍立在门边的杨时、游酢。只见外面的积雪已有一尺多厚了。

后来，杨时学得程门理学的真谛，被东南方学者推为程学正宗，世称“龟山先生”。此后，“程门立雪”就成为尊师重道的千古美谈。

**思考讨论**

你平时尊敬老师吗？学了这个故事后，再想一想有没有还需要改进的地方。

## 朋友宾主

刎颈交[1]，相如与廉颇[2]；总角好[3]，孙策与周瑜[4]。胶漆相投[5]，陈重之与雷义[6]；鸡黍之约[7]，元伯之与巨卿[8]。

## 注释

[1]刎（wěn）颈交：指同生死共患难的朋友。刎，割脖子。颈，脖子。交，交情。 [2]相如与廉颇：战国时期赵国大臣蔺相如与名将廉颇。 [3]总角好：比喻童年时代就是很好的朋友。总角，古代儿童把头发梳成一个向上的小辫，这里指童年时代。 [4]孙策：字伯符，东汉末吴郡富春（今属浙江）人，孙氏政权的建立者，孙权的兄长。周瑜：字公瑾，庐江县（今属安徽）人，三国时期吴国名将。年幼即与孙策交好，后辅助孙策在江东创立孙氏政权。孙策死后，辅佐孙权，任前部大都督。 [5]胶漆相投：比喻情投意合，如同胶漆黏合在一起，亲密无间。 [6]陈重：字景公，豫章宜春（今属江西）人。雷义：字仲公，豫章鄱阳（今属江西）人。据记载，陈重、雷义分别举孝廉和茂才，二人都互相谦让，最后二人同拜尚书郎。 [7]鸡黍（shǔ）之约：东汉人范式和张劭（shào）之间恪守约定的故事。 [8]元伯：即张劭，汝南（今属河南）人。巨卿：即范式，山阳金乡（今属山东）人。

## 译文

刎颈之交，说的是战国时期蔺相如与廉颇生死与共的情谊；总角之好，说的是三国时期的孙策和周瑜在孩提时代就是很好的朋友。像胶漆一样互相黏合的友谊，说的是陈重和雷义坚不可破的友情；虽然隔了两年，依然杀鸡作黍等待好友到来，说的是张劭和范式的约定。

## 延伸阅读

### 鸡黍之约

范式，又名范汜，字巨卿，东汉山阳（今属山东）人。张劭，字元伯，汝南（今属河南）人。两人为至交，留下了“鸡黍之约”的千古美谈。

年轻的时候，范式和张劭曾在太学学习。太学设立在京师洛阳，是东汉的最高学府。两人同游太学期间，朝夕相处，互相照顾，亲如骨肉。三年过后，二人结束学业，一起离开洛阳，回归故乡。

分手时，正是重阳佳节。范式因母亲早逝，无限感慨。他对张劭说：“两年以后，我将重回洛阳。到时候一定经过你家，拜访你的母亲，见见你的小孩。”张劭回答说：“那太好了，我一定杀鸡煮黍，恭候你的光临。”于是他们约定别后的第二个重阳佳节相见。

两年以后，眼看快到了约定的时间。张劭把事情详细地告诉了母亲，请母亲招待范式。张劭的母亲说：“分别了两年，虽然约定了日期，但是远隔千里，你怎么就确信范式一定会来呢？”张劭说：“您放心，范式是一个守信用的人，绝对不会失约的。”母亲说：“如果是这样，那我就去为你酿酒吧。”

重阳那天，张劭一切准备就绪，便站立庄门守望。范式果然如期而至。他先拜见了张劭的母亲，然后和张劭痛饮尽欢之后才告别而去。

## 思考讨论

你和朋友之间有没有共同约定去做一件事情？最后有没有做成？

**与善人交，如入芝兰之室[1]，久而不闻其香；与恶人交，如入鲍鱼之肆[2]，久而不闻其臭。肝胆相照[3]，斯为心腹之友[4]；意气不孚[5]，谓之口头之交[6]。**

## 注释

[1]芝兰之室：比喻贤士所居的地方。芝兰，香草名。[2]鲍鱼之肆：比喻恶人所聚集的地方。鲍鱼，腌鱼。肆，店铺。[3]肝胆相照：形容朋友之间以诚相待。肝胆，比喻真诚的心。[4]心腹之友：推心置腹的朋友。　[5]意气不孚：志趣不相同。不孚，不信任。　[6]口头之交：表面相交，实际上没诚意。

## 译文

和好人交往，就像进入放着香草的屋子，时间久了就闻不到它的芳香味了；和恶人交往，就好像进入卖腌鱼的店铺，时间久了就闻不到它的腥臭味了。以诚相待，这才是推心置腹的朋友；志趣不同，只可算做口头上的交情。

## 延伸阅读

### 割席断义

东汉末年，平原（今属山东）人华歆因仰慕管宁的名声，不远千里拜访管宁，两人一见如故，成为好朋友。

有一天，管宁和华歆一起去菜园锄草。正锄着的时候，忽然一块金片蹦了出来，一闪一闪发出亮光。管宁丝毫不为之所动，依旧挥动着锄头认真地锄草，仿佛它和瓦片石头没有区别。而一旁的华歆连忙丢下锄头，捡起金子，高兴地欣赏起来。管宁不禁皱了皱眉头，华歆捕捉到管宁的反应后，才极不情愿地把它扔了回去。

又有一天，管宁和华歆正并排坐在一张席子上读书。忽然，外面传来一阵锣鼓声，原来是有个大官从门前经过，他乘着气派的车子，身着华贵的官服，前面有锣鼓开道，后面有仪仗队紧随，中间还有许多杂役仆从簇拥，场面十分壮观。管宁纹丝不动，好像什么也没听见，一心埋头苦读。华歆却马上放下书本，跑到门口观看，心想："要是我以后也能做这么大的官，有这么大的阵势就好了。"

目送着车马渐渐远去的影子，华歆恋恋不舍地回到坐席之上。这个时候，只见管宁拿出随身携带的一把刀，把他和华歆坐的席子"哧啦"一下割成了两半。华歆一看，十分不解地问道："管宁，你这是干什么？""你我志向不同，从今以后，咱们别坐在一张席子上了，你也不再是我的朋友了。"说完，管宁又专心读起书来。

### 思考讨论

你是怎么结交朋友的？有没有过去关系很好，现在却关系一般甚至不联系的？为什么呢？

**陈蕃器重徐稚[1]，下榻相延[2]；孔子道遇程生，倾盖而语[3]。伯牙绝弦失子期[4]，更无知音之辈[5]；管宁割席拒华歆[6]，谓非同志之人[7]。**

## 注释

[1] 陈蕃：字仲举，汝南平舆（今属河南）人，东汉大臣。徐稚：字孺子，豫章南昌（今属江西）人，东汉隐士，经学家。[2] 下榻相延：东汉陈蕃做豫章太守时，不接待来访宾客，只特地为郡中名士徐稚准备一榻，徐稚离去，就把榻挂起来不用。后称接待宾客为“下榻”。榻，一种坐卧用具。 [3] 倾盖而语：孔子在郯（tán）地遇到程子，两人停车交谈，车盖互相倾斜，双方意见投合，一谈就是一整天。后用“倾盖而语”来形容朋友相遇亲切交谈，也表示志同道合，一见如故。盖，车盖，形状如伞。[4] 伯牙绝弦失子期：春秋时，俞伯牙善于弹琴，挚友钟子期善于听琴。子期死后，伯牙认为世无知音，就弄断琴弦，不再弹琴。后来用“伯牙绝弦”比喻哀悼亡友或慨叹无知音之苦。 [5] 知音：即知己，能赏识自己的人。 [6] 割席：指朋友绝交。[7] 同志：志同道合的人。

## 译文

陈蕃器重名士徐稚，特地设一榻接待他；孔子路上遇见程生，停车后车盖倾斜，亲切交谈。俞伯牙弄断琴弦不再弹琴，是因为钟子期死后世界上再没有听得懂他的琴音的人了；管宁割断坐席拒绝与华歆同席读书，是因为他们不是志同道合的人。

## 延伸阅读

### 高山流水

春秋时代，有个叫俞伯牙的人，他精通音律，琴艺高超，是当时著名的琴师。俞伯牙年轻的时候聪颖好学，曾拜高人为师，

高山流水

在自然山水中漂游，终于悟得琴之妙趣，成了天下的弹琴妙手。

一天晚上，伯牙乘着小船在江上游览。面对着一轮皎洁的明月和一江浩荡的春水，他思绪万千，于是弹起琴来。琴声悠扬，渐入佳境，忽然伯牙听到岸上有人连声叫绝。

伯牙闻声走出船舱，只见一个身穿蓑衣、头戴斗笠的樵夫站在岸边。他当即请樵夫上船，兴致勃勃地为他演奏。伯牙弹起赞美高山的曲调，樵夫说道：“真好！雄伟而庄重，好像高耸入云的

泰山一样！”当他弹奏表现奔腾澎湃的波涛时，樵夫又说：“真好！宽广浩荡，好像看见滚滚的流水、无边的大海一般！”伯牙兴奋极了，激动地说：“知音！你真是我的知音！”这个樵夫就是钟子期。从此二人成了非常要好的朋友。

后来钟子期不幸病故，伯牙伤心至极，痛哭流涕，认为这个世界上已经没有知音了，从此再也没有值得自己为之弹琴的人了。于是在为钟子期弹奏了一曲《高山流水》之后，他将琴摔破，终生不再弹琴。



### 思考讨论

读了以上故事，你觉得俞伯牙应该绝弦吗？为什么？

## 老幼寿诞

**称人生日，曰初度之辰[1]；贺人逢旬[2]，曰生申令旦[3]。三朝洗儿[4]，曰汤饼之会[5]；周岁试周[6]，曰晬盘之期[7]。**

### 注释

[1]初度：指出生之时。后称生日为“初度”。　[2]逢旬：逢十的生日。　[3]生申：像周代贤臣申伯的降生。令旦：好日子。令，善。[4]三朝（zhāo）：旧称结婚、生子或死亡的第三天，这里指生子。旧时习俗，婴儿出生第三天要洗身。　[5]汤饼之会：指孩子出生第

三天举行宴会，招待亲友吃汤煮的面食。　[6] 试周：也称“试儿”、“抓周”。旧时一种预测小孩性情和志趣的习俗。　[7] 晬（zuì）盘：即试周。晬，婴儿满百日或一岁之称。

## 译文

称人生日叫“初度之辰”;祝贺别人逢十的生日叫“生申令旦”。婴儿出生三日替他沐浴，请亲友宴庆，称为“汤饼之会”；孩子周岁用盘盛物抓周，称作“晬盘之期”。



## 延伸阅读

### 古代关于年龄的说法

襁褓（qiǎng bǎo）：本意是指包裹婴儿的被子和带子，后借指未满周岁的婴儿。

孩提：指二三岁的幼儿，亦作“孩抱”。

龆龀（tiáo chèn）：儿童换齿，即指七八岁的儿童。

垂髫（tiáo）：指三四岁至八九岁的儿童。古时童子未冠者头发下垂，因此以“垂髫”指童年或儿童。

总角：指八九岁至十三岁的少年儿童，后称童年时代为“总角”。

豆蔻（kòu）：本是植物名，代指十三四岁的少女。

束发：古代男孩成童时束发为髻，因此作为成童的代称。成童，一说八岁，一说十五岁。

笄（jī）年：古代特指女子十五岁可以盘发插笄的年龄，即成年。

弱冠：男子二十岁称“弱”，这时就要行“冠礼”，即戴上表示已成年的帽子。“弱冠”即年满二十岁的男子。

而立：三十岁。因年至三十，学有成就，故称。

不惑：四十岁。

知命：五十岁。

花甲：古代用天干和地支相配纪年，每一干支代表一年，六十年为一循环。后称年满六十为“花甲”。

古稀：七十岁。

耄耋（mào dié）：耄，八九十岁。耋，七八十岁。

期颐：一百岁。古代称一百岁为人生寿命的极限，称“期”；百岁后生活起居须人养护，称“颐”。



## 思考讨论

你的爸爸妈妈、爷爷奶奶的年龄分别属于上文所说的什么阶段?

**男生辰曰悬弧令旦[1]，女生辰曰设帨佳辰[2]。贺人生子，曰嵩岳降神[3]；自谦生女，曰缓急非益[4]。生子曰弄璋[5]，生女曰弄瓦[6]。**

## 注释

[1]悬弧：古代风俗，生了男孩，便在门的左边挂一张弓。弧，弓。　[2]设帨（shuì）佳辰：古代风俗，生了女孩，在门的右边挂一方佩巾。帨，佩巾。　[3]嵩岳降神：天神降临嵩山。嵩岳，中岳嵩山。　[4]缓急非益：危急时候没有好处。缓急，偏义复词，缓字无义。　[5]弄璋：古人把璋玉给男孩玩，希望他将来有玉一样的品德。后来称生男孩为“弄璋”。璋，一种玉器。

[6]弄瓦：古人把纺锤给女孩玩，希望她长大后能胜任女红，心灵手巧。瓦，纺锤，古代妇女纺织所用。

## 译文

男孩出生要在家门的左边悬挂一张弓,因此男子的生日叫做“悬弧令旦”;女孩出生要在门的右边放一块佩巾,因此女子的生日称为“设帨佳辰”。祝贺他人生儿子,就说“嵩岳降神”;谦称自己生了女儿,就说“缓急非益”。生男孩叫“弄璋”,生女孩叫“弄瓦”。

## 延伸阅读

### 缇萦救父

西汉初年,临淄有个小女孩名叫淳于缇萦。她的父亲淳于意喜欢医术,经常给人治病。

有一次,有个大商人的妻子生了病,请淳于意医治。哪知病人吃了药,过了几天死了。商人向官府告了淳于意一状,当地的官吏判淳于意“肉刑”,要把他押解到长安去受刑。

淳于意离开家的时候,望着他的五个女儿直叹气,说:“唉,可惜我生的都是女儿,真是‘缓急非益’啊。”意思是说遇到急难,没有一个有用。

几个女儿都低着头伤心得直哭,只有最小的女儿缇萦又是悲伤,又是气愤。她想:“为什么说女儿没有用呢?”

于是,缇萦陪着父亲一起到了长安,她托人写了一封奏章,到宫门口递给守门的人,最后到了汉文帝手中。那奏章上写着:

“我叫缇萦,是淳于意的小女儿。我父亲犯了罪,被判处肉刑。我不但为父亲难过,也为所有受肉刑的人伤心。一个人砍去脚就成了残废;割去了鼻子,不能再安上去,以后就是想改过自新,也没有办法了。我情愿给官府当奴婢,替父亲赎罪,好让他有个改过自新的机会。”

汉文帝看了信，觉得她说的有道理，决定废除肉刑。他召集大臣们，令他们制订一个替代肉刑的办法。大臣们经过商议，决定把肉刑改为打板子。原来判砍去脚的，改为打五百个板子；原来判割鼻子的，改为打三百个板子。缇萦就这样救了她的父亲。

## 思考讨论

读了以上故事，你觉得缇萦是一个怎样的人？

**行年五十[1]，当知四十九年之非；在世百年[2]，哪有三万六千日之乐。百岁曰上寿，八十曰中寿，六十曰下寿；八十曰耋，九十曰耄，百岁曰期颐。**

## 注释

[1]行年五十：到了五十岁。　[2]在世百年：活在世上一百年。

## 译文

人到了五十岁，应当知道过去四十九年里的过失；人活百年，哪能三万六千天都是快乐的。人活到一百岁叫做“上寿”，八十岁叫做“中寿”，六十岁叫做“下寿”。人活到八十岁叫做“耋”，九十岁叫做“耄”，一百岁叫做“期颐”。

## 延伸阅读

### 年五十而知四十九年非

春秋时期,卫国有个贤人,叫蘧（qú）伯玉,他是一个襟怀坦荡、表里如一的人。

有一天晚上，卫灵公和他夫人南子一同坐在宫里，忽然听见有一辆车子铃铃作响，可是到了宫门口，响声就停止了。南子说："这辆车子上坐着的人，一定是蘧伯玉。"卫灵公说："你怎么知道是他呢？"南子说:"从礼节上讲,做臣子的人,走过君上的宫门口,一定要下车；看见了君上的车驾，一定要行礼，用以表示对君主的敬重。只要是君子，即使在别人看不见的地方，也会保持着他的品行。蘧伯玉是个贤人君子，他平日侍奉君上很重礼节，一定不会在暗昧的地方失了礼。"于是卫灵公就差了个人前去察看，果然是蘧伯玉。

蘧伯玉还是一个富有自省精神的人。有一天，蘧伯玉派使者拜望孔子，孔子向使者询问蘧伯玉的近况，使者回答说："他正设法减少自己的缺点，却苦于做不到。"意思是说，蘧伯玉的品德接近完美,已经很难找到缺点去克服了。使者走后,孔子对弟子说:"这是一个了解蘧伯玉的人啊。"蘧伯玉每一天都思考前一天所犯的错误，力求使今日的自己胜过昨日的自己；他每一年都要思考前一年的不足，到了五十岁那年，仍然在思考之前所犯的过错。这就是所谓的"年五十而知四十九年非"。

## 思考讨论

反省是一件很重要的事情。想想你最近做错了哪些事情，应该怎么改正。

# 身 体

**唇亡齿寒[1]，谓彼此之失依；足上首下[2]，谓尊卑之颠倒。所为得意，曰吐气扬眉[3]；待人诚心，曰推心置腹[4]。**

## 注释

[1]唇亡齿寒：嘴唇没有了，牙齿就会感到寒冷。比喻利害关系十分密切。　[2]足上首下：脚在上，头在下。比喻长幼尊卑之序相互颠倒。　[3]吐气扬眉：吐出了胸中的闷气，扬起了眉毛。形容摆脱长期受压抑和欺凌的困境后高兴的神态和心情。也作“扬眉吐气”。　[4]推心置腹：把赤诚的心交给人家。比喻真心待人。

## 译文

“唇亡齿寒”是说彼此之间失去依靠，“足上首下”形容颠倒了上下尊卑的次序。一个人做事感觉非常得意，叫做“吐气扬眉”；诚心诚意地对待别人，称为“推心置腹”。

## 延伸阅读

### 唇亡齿寒

春秋时期，晋献公借口虢（guó）国经常侵犯晋国的边境，准备派兵消灭虢国。可是在晋国和虢国之间隔着虞国，它是讨伐虢国的必经之地。

晋献公问手下的大臣："我们怎样才能顺利通过虞国呢？"大夫荀息说："虞国国君是个目光短浅的人，只要我们送给他价值连城的美玉和宝马，他不会不答应借道给我们。"晋献公一听，有些不情愿。荀息看出了晋献公的心思，就说："虞、虢两国是唇齿相依的近邻，虢国灭亡了，虞国自然也不能独立存在。您的美玉宝马不过是暂时存放在虞国而已。"晋献公于是采纳了荀息的计策。

虞国国君看到晋国送来的礼物，顿时心花怒放。他听说荀息要借道虞国攻打虢国，立马就答应了下来。虞国大夫宫之奇听说后，赶紧阻止道："不行不行，虞国和虢国是近邻，我们两个小国相互依存，有事可以相互帮助。万一虢国被消灭了，我们虞国也自身难保啊。正如没有了嘴唇，牙齿会感到寒冷一样啊！"

虞国国君说："人家晋国是大国，现在特意送来美玉宝马和我们交朋友，难道我们借条道路给他们走走都不行吗？"他并不采纳宫之奇的意见。宫之奇知道虞国离灭亡的日子不远了，于是就带着一家老小离开了虞国。

晋国军队借道虞国，消灭了虢国，在回国途中，又把亲自迎接晋国军队的虞国国君抓住，一举灭了虞国。

## 思考讨论

如果虞国没有把道路让给晋国，那么虞国的下场会怎么样？你觉得它还会被灭掉吗？

**口尚乳臭[1]，谓世人年少无知；三折其肱[2]，谓医士老成谙练[3]。西子捧心[4]，愈见增妍[5]；丑妇效颦[6]，弄巧反拙[7]。**

## 注释

[1] 口尚乳臭（xiù）:嘴里还有奶的气味，表示对年轻人的轻视。乳臭，奶的气味。　[2] 三折其肱：多次折断手臂后，自己也能懂得医治折臂的方法。比喻对某事阅历多，富有经验，自然就造诣精深。肱，胳膊从肘到手的部分，泛指手臂。　[3] 老成谙（ān）练：老练成熟，谙达世事。这里是指经历多了自然熟悉治疗的方法。[4] 西子捧心：西施心痛而用手按着心脏的部位。西子，即西施，春秋末期越国苎罗（今属浙江）人，中国古代四大美女之首，后成为美女的代称。　[5] 妍：美丽。　[6] 效颦（pín）：效仿西施的模样，皱着眉头。　[7] 弄巧反拙：本来想要耍聪明，结果反而使事情变得更坏。也作“弄巧成拙”。拙，笨。



## 译文

“口尚乳臭”是说世人年少无知；“三折其肱”是形容医师见多识广、经验老到。西施捧心皱眉，越发增加她美丽的容颜；东施仿效西施皱起眉头，反而弄巧成拙，显得更加难看。

## 延伸阅读

### 东施效颦

春秋时代，越国有一位美女名叫西施，无论举手投足，还是音容笑貌，都十分惹人喜爱。西施无论走到哪里，都很引人注目，没有人不惊叹她的美貌。

西施患有心口疼的毛病。有一天，她的病又犯了，只见她手捂胸口，双眉皱起，流露出一种娇媚柔弱的女性美。当她从乡间走过的时候，乡里人无不睁大眼睛注视。

乡里有一个女子名叫东施，相貌丑陋，没有修养。她平时动作粗俗，说话大声大气，却十分爱打扮，今天穿这样的衣服，明天梳那样的发式，却仍然没有一个人说她漂亮。

这一天，她看到西施捂着胸口、皱着双眉的样子非常美丽，因此也学着西施的样子，手捂胸口，紧皱眉头，在村里走来走去。结果，乡间的富人看见丑女的怪模样，马上把门紧紧关上；乡间的穷人看见丑女走过来，马上拉着妻子、带着孩子远远地躲开。人们见了这个怪模怪样模仿西施心口疼、在村里走来走去的丑女人，简直像见了瘟神一般。

这个丑女人只知道西施皱眉的样子很美，却不知道她为什么很美，而简单去模仿她的样子，结果反被人讥笑。



## 思考讨论

为什么东施效颦会让人厌恶？原因是什么呢？

**无功食禄[1]，谓之尸位素餐[2]；谫劣无能[3]，谓之行尸走肉[4]。老当益壮[5]，宁知白首之心[6]；穷且益坚[7]，不坠青云之志[8]。**

## 注释

[1]无功食禄：也作“无功受禄”。指没有出力而食俸禄。禄，旧时官吏的薪俸。　[2]尸位素餐：空占着职位而不做事，白吃饭。尸位，尸之就位，只享受祭祀，不做任何事。尸，古代祭礼中代表神像端坐、不用做任何动作的人。　[3]谫（jiǎn）劣：学识浅陋。谫，浅薄。　[4]行尸走肉：会行走的尸体和没有灵魂的

躯壳。比喻无所作为、缺乏生活理想的人。尸，尸体。肉，没有灵魂的肉体。　[5] 老当益壮：年老志气应该更加豪壮。[6] 白首之心：老年时的壮志。　[7] 穷且益坚：处境越困难，意志应该更加坚定。　[8] 青云之志：雄心壮志。

## 译文

没什么功劳却吃着国家的俸禄，这就叫“尸位素餐”；浅薄低劣、庸碌无能的人，可以称为“行尸走肉”。年龄大了，志气应当更加豪壮，怎能不理解白发人的心思？处境越穷困，意志应当更坚定，不能丧失青云直上的志气。

## 延伸阅读

### 老当益壮，穷且益坚

东汉名将马援，年轻时当过一个小官，后来因为私自放走囚犯，逃亡到了边境上，他在那儿开垦土地，放养牲畜。没几年的工夫，蓄养的牛、马、羊就有数千头之多，囤积的粮食也数不胜数。

马援像

不过，马援的志向并不满足于做一个财主，他经常对人说：“大丈夫应该穷且益坚，老当益壮。”意思是说，越穷困潦倒，志向越要坚定；年龄越老，志气越要壮盛。

于是他就跟随汉光武帝刘秀南征北战，立下了汗马功劳。东汉建立后，马援出任陇西郡守。当时陇西郡刚刚平定，居住的多是羌人，一直以来都不愿接受汉族官吏的统治，时常反叛。马援受命后，一方面率军与叛乱的羌族部落积极作战，另一方面对服从的羌族部落加以招抚，双管齐下，很快就稳住了陇西的局面。

六年之后，马援被召回到京城洛阳，不久，南方交趾郡内有两姐妹聚众造反，南边各郡群起响应，当时武威将军刘尚平叛失败，全军覆没。于是，马援主动向汉光武帝刘秀请战，这年他六十二岁。刘秀看他年事已高，没有答应。马援却说："现在国家有难，男子汉大丈夫，死也应该死在边疆、死在战场，让别人用马革裹着尸体送回来埋葬，怎么能面对国家的危难而袖手旁观呢？"

于是，马援被任命为伏波将军，率兵南下平乱。经过四年的南征交趾之战后，马援凯旋，返回京城洛阳。

### 思考讨论

说说你最佩服的一个人和佩服他的理由。

## 衣服

上服曰衣，下服曰裳[1]；衣前曰襟[2]，衣后曰裾[3]。敝衣曰褴褛[4]，美服曰华裾[5]。襁褓乃小儿之衣，弁髦亦小儿之饰[6]。左衽是夷狄之服[7]，短后是武夫之衣[8]。

幼学琼林

## 注释

[1] 裳：古代指遮蔽下体的裙子，男女都穿。　[2] 襟：古代指衣的交领，后指衣的前幅。　[3] 裾（jū）：衣服的前后襟，此处指后襟。　[4] 敝衣：破旧的衣服。褴褛（lán lǚ）：指衣服破烂，不堪入目。　[5] 华裾：华美的衣服。　[6] 弁髦（biàn máo）：儿童头发垂下来，需要戴弁帽，称为弁髦。弁，黑色布帽。髦，幼童垂于前额眉际的头发。饰：头饰。　[7] 左衽（rèn）：衣襟开在左边，是某些少数民族的服饰，与中原汉族服饰衣襟开在右边相反。衽，衣襟。夷狄：古代泛称东方各族为夷，北方各族为狄，泛指除华夏族以外的各族。　[8] 短后：衣服的后幅比较短，便于行动。

## 译文

上身的服装叫做“衣”，下身的服装叫做“裳”。衣的前幅称作“襟”，后幅称作“裾”。破旧的衣服叫“褴褛”，华丽的衣服称为“华裾”。襁褓是婴儿的衣裳，弁髦是孩童的帽饰。衣襟向左，这是少数民族的服装；后幅较短，这是武夫穿的衣服。

## 延伸阅读

### 胡服骑射

赵武灵王是战国时期一位奋发有为的国君，他即位的时候，赵国正处在国势衰落时期，常常打败仗，甚至遭到邻近小国的侵扰。为了富国强兵，赵武灵王想尽了办法。

当时，赵国与胡人长期对峙，胡人骑兵凶悍强壮，常常袭扰赵国。赵武灵王率领军队与胡人骑兵战斗后，发现了胡人装束轻便、机动性强的特点，于是决心学习胡人。

有一天，赵武灵王穿着胡人的服装走上朝。胡人的服装是短衣长裤，窄袖紧腿，头戴头盔，脚穿皮靴，与中原华夏族人的宽衣博带、一件到底的样式大不相同。大臣们见到他的穿着，都吓了一跳。于是，赵武灵王把准备“着胡服”、“习骑射”的主张向大臣讲了，经过大臣们同意之后，就正式下了一道改革服装的命令。过了不多久，赵国人不分贫富贵贱，都穿起胡服来了。有的人起初觉得有点不习惯，后来觉得穿了胡服，实在方便得多。

赵武灵王接着又号令大家学习骑马射箭。不到一年就训练出了一支强大的骑兵队伍，赵国的国力逐渐强大起来。不久，赵武灵王亲自率领骑兵打败邻近的中山国，又收服了东胡和邻近几个部落。到了实行胡服骑射的第七年，中山、林胡、楼烦都被收服了，赵国的版图迅速扩张，成为战国七雄之一。



## 思考讨论

读了上面的故事，请你说说服装有什么作用。

**尊卑失序，如冠履倒置[1]；富贵不归，如锦衣夜行[2]。狐裘三十年[3]，俭称晏子[4]；锦幛四十里[5]，富羡石崇[6]。**

## 注释

[1]冠履倒置：鞋和帽易位。喻尊卑颠倒，上下失序。也作“冠履倒易”。　[2]锦衣夜行：穿着锦绣衣裳在夜间行走，比喻无法在人前显示荣华富贵。也作“衣锦夜行”。锦，有彩色花纹的丝

织品。　　[3]狐裘三十年：一件狐皮大衣穿了三十年。狐裘，用狐皮制成的大衣。　　[4]晏子：即晏婴，字平仲，春秋时齐国大夫，以节俭、机智闻名。　　[5]锦幛:锦绣的帐幕，形容极尽奢华。四十里:一说五十里。　　[6]石崇:字季伦，渤海（今属河北）人，西晋文学家。曾与贵戚王恺等斗富，争为奢靡。

## 译文

尊和卑如果失去了次序，就好像鞋和帽颠倒了位置；富贵了不回故乡去，好比穿了锦绣的衣服在黑夜中行走。一件狐皮袍穿了三十年，晏子的俭朴为人所称道；搭起四十里的锦幛，石崇的豪富让人羡慕。



## 延伸阅读

### 石崇斗富

石崇，字季伦，西晋初年著名的美男子，文学团体“金谷二十四子”之一，富可敌国。

历史上，石崇以奢侈豪华著称，最有名的当属他与当时的贵戚王恺斗富的故事了。为了证明谁拥有最多的财富，他们以奢侈程度来一比高下。

王恺是晋武帝司马炎的舅舅，官拜右将军。凭着手中掌握的权势，他迅速聚敛起了巨额的财富。他自认为财富无人匹敌，便与石崇斗富。他用当时特别贵重的麦糖清洗锅子。而石崇对此不以为然，竟用更为珍贵的石蜡当做柴火使用。王恺不甘示弱，用紫纱搭了四十里的步障，石崇则用织锦搭建步障五十里。石崇用一种叫椒的香料涂饰房屋，王恺就用红色的石脂盖过他。

晋武帝对此不仅不加管制，为了使他的舅舅王恺获胜，还多次出资助威。有一次，晋武帝赠给王恺一株二尺多高的珊瑚树，王恺便十分得意地拿出来向石崇炫耀。谁知石崇竟拿出铁如意，几下就将珊瑚树击成碎片。王恺见状勃然大怒，以为石崇是出于妒忌所致。谁知石崇却轻松地说道："这没有什么大惊小怪的，我现在赔给你就是啦。"于是便命令他家的仆从取出自家珍藏的珊瑚树，二尺多高的多得不计其数，三四尺高的竟然也有六七株之多。王恺看得目瞪口呆，惊羡万分。

王恺与石崇的斗富，就这样，以石崇的胜利告终了。



## 思考讨论

你如何看待石崇斗富？你觉得财富应该怎样使用比较好？

**唐文宗袖经三浣[1]，晋文公衣不重裘[2]。衣履不敝，不肯更为[3]，世称尧帝。衣不经新，何由得故[4]？妇劝桓冲[5]。**

## 注释

[1]唐文宗：即李昂，唐中期皇帝。三浣：衣服洗过三次。浣，洗。[2]晋文公：即重耳，春秋时晋国国君，春秋五霸之一。衣不重裘：不穿厚毛皮衣，以示节俭。 [3]更为：更换。 [4]衣不经新，何由得故：衣服不经过新的，怎么能变成旧的呢？ [5]桓冲：字幼子，谯国龙亢（今属安徽）人，桓温弟，东晋军事将领。

## 译文

唐文宗为了表明节俭，衣服洗了三次仍在穿；晋文公为了纠正奢靡风气，自己带头不穿厚皮衣。衣服鞋子不穿到破得不能再穿，就不肯换新的，这是世人对尧帝俭朴的称颂。新做的衣服不经过穿用，哪里会变成旧的呢？这是晋代桓冲不肯穿新衣时妻子规劝他的话。

## 延伸阅读

### 衣不经新，何由得故

桓冲字幼子，是东晋大将桓温的弟弟，他本人也是历史上著名的将领。

桓冲是一个谦虚有节、礼贤下士的人。有一次，桓冲想让南阳的隐士刘邻担任长史一职，刘邻没有答应，他就亲自到南阳拜访，给出了非常优厚的条件。他还备足礼仪、非常恭敬地请长沙的处士邓粲担任他的副手，邓粲深为感动，接受了他的任命。

桓冲还是一个十分节俭的人。他虽然身居要职，却十分朴素，常常穿着旧衣服。有一次，桓冲沐浴之后，妻子给他递上了一件崭新的衣服。他一见是新衣，便大怒起来，连忙命人拿走新衣。妻子只好劝他说："没有新衣服，哪里会有旧衣服呀！"听了这话，桓冲哈哈大笑，这才穿上新衣。

桓冲还是一个深明大义、以国家利益为重的人。为了缓和与谢氏家族的矛盾，他顾全大局，将原本桓温在时取得的扬州刺史职位让给谢安，自愿出镇外地。后来，前秦南下攻打东晋，桓温与谢氏在东西两边协力，打退了前秦的进攻，使得东晋获胜。桓冲临终时，没有为宗族子弟向朝廷讨要一官半职，也没有提及个人的要求。他只是遗憾兄长桓温的儿子妙灵、灵宝还年幼，不能亲眼见到他们长大成人，有负兄长的临终托付。这种胸怀和精神，深受当时人的敬重。

## 思考讨论

你觉得桓冲有哪些地方值得我们学习？

# 卷 三

## 人 事

**登龙门[1]，得参名士[2]；瞻山斗[3]，仰望高贤。一日三秋[4]，言思慕之甚切；渴尘万斛[5]，言想望之久殷。**



### 注释

[1] 登龙门：比喻得到有名望、有权势者的援引而身价大增。科举时代也称会试得中为“登龙门”。　[2] 参：参见，拜见。[3] 山斗：指泰山、北斗。也作“泰斗”。比喻德高望重或有卓越成就而为人所敬仰。　[4] 一日三秋：一天没有见面，就像隔了三年一样。比喻分别时间虽短，却觉得很长。形容离别后思念殷切。秋，指一季或一年。　[5] 渴尘万斛（hú）：形容极度想见到一个人的迫切心情。斛，器量名，也是容量单位，一斛本为十斗，后来改为五斗。

### 译文

“登龙门”，比喻拜谒有名望的士人并得到他们的赞赏而名声大震；“瞻山斗”，形容敬仰德高望重的贤人。“一日三秋”，是说思念友人的心情十分深切；“渴尘万斛”，形容盼望见到友人的殷切心情。

## 延伸阅读

### 鲤鱼跃龙门

龙门是黄河壶口瀑布南面的一处峡谷，相传本为高山，大禹治水时始开凿。龙门两岸峭壁夹峙，就像门阙一样。龙门峡以下，地势平坦，河谷宽阔，黄河从中流泻，水势湍急，形成落差。家喻户晓的“鲤鱼跃龙门”的故事即出于此。

相传，每年暮春时节，来自大海及各大水系的黄色鲤鱼成群结队地洄游至龙门口。它们此行的目的，就是希望纵身一跳，越过龙门，成为巨龙。跃过龙门并不容易，相传一年之内，成千上万条鲤鱼中，成功的不会超过七十二条。当黄色鲤鱼刚一越过龙门，空中就有云雨跟随着它，天火则紧随其后，烧去它的尾巴，使其变为腾云驾雾的蛟龙。而跳不过去的鲤鱼，从空中掉落，额头上就结一个黑疤，称为“龙门点额”。

鲤鱼跃龙门的故事，常常用以比喻中举、升官等飞黄腾达的事，或者比喻逆流前进、奋发向上的精神，但实际上，这是个美丽的误会。鲤鱼跃龙门，实际上是出于鲤鱼的习性和繁衍后代的需要。鲤鱼生性喜欢跳水，常能跳出水面一米之外。每年春天，大批鲤鱼竞相洄游，云集龙门一带，是因为龙门口水温较低，流态复杂，河道宽窄相间，水流湍急，适合产卵。而产卵前期，由于生理的变化，鲤鱼就特别喜欢跳水。

## 思考讨论

读了上述故事，请结合你的经历，思考怎样去实现你的理想。

**班门弄斧[1]，不知分量；岑楼齐末[2]，不识高卑。势延莫遏[3]，谓之滋蔓难图[4]；包藏祸心[5]，谓之人心叵测[6]。**

## 注释

[1] 班门弄斧：在鲁班门前舞弄斧子。比喻在行家面前卖弄本领，不自量力。也可用于自谦。班，鲁班，我国古代的巧匠，木匠的祖师爷。 [2] 岑楼齐末：只比较末端，方寸的木头也可高过高楼。比喻不从本着手，则无法认清事实。岑楼，尖顶高楼。[3] 势延莫遏：事情顺势发展，难以遏制。延，延伸、发展。[4] 滋蔓难图：野草滋生，难以消除。比喻势力一旦扩大了，要消灭就很困难。滋，滋长。蔓，繁衍、蔓延。 [5] 包藏祸心：心里怀着害人的恶意。包藏，隐藏、包含。祸心，害人之心。[6] 人心叵测：人心不可预测。形容人心险恶。叵，不可。

## 译文

在鲁班门前舞弄斧头，真是自不量力；木头居然比尖顶高楼还高，实在是不知高低。事情顺势发展、难以遏制，称为“滋蔓难图”；心里藏着害人的念头，叫做“居心叵测”。

## 延伸阅读

### 锯子的由来

鲁班，本姓公输，名班（亦作般），因为是鲁国人，所以人们称他为鲁班。两千多年来，鲁班一直被奉为木匠们的祖师。

鲁班很注意对客观事物的观察、研究，他受自然现象的启发，致力于创造发明。有一次，鲁班为了完成一项紧急的建筑任务，领着徒弟上山一连伐了好几天树，但因伐木工具落后，他们起早贪黑，木料还是供应不上，他心里非常焦急。

一天，天刚亮，鲁班在干活，一不小心被丝茅草的叶子划破了手指。他摘了一片草叶，发现草叶边缘长着许多锋利的细齿。一转身,他看见一只大蝗虫正迅速地吃着草叶。鲁班捉了蝗虫一看，发现它的板牙上也有利齿。看看丝茅草的叶子，再看看蝗虫的大板牙，他心里豁然开朗。

他把毛竹劈削成条，在上面刻了很多像丝茅草叶和蝗虫板牙那样的锯齿，然后用它去拉树，只几下，树皮就破了；再一用力，树干锯出一道深沟。可是时间一长，竹皮上的锯齿不是钝了，就是断了。鲁班想，如果用铁条代替竹条，就会很坚硬耐用。于是他马上请铁匠打了一个有锯齿的铁条，再用它去拉树，真是锋利极了。锯子就是这么发明的。

## 思考讨论

鲁班发明锯子的灵感来源于哪里？你从中得到了什么启发？

**敌甚易摧[1]，曰发蒙振落[2]；志在必胜，曰破釜沉舟[3]。曲突徙薪无恩泽[4]，不念豫防之力大[5]；**

焦头烂额为上客[6]，徒知救急之功宏。

## 注释

[1]摧：挫败，摧垮。　　[2]发蒙振落：把蒙在物体上的东西揭掉，把将要落的树叶摘下来。比喻事情很容易做到。蒙，遮盖，指物体上的蒙罩物。振，摇动。　　[3]破釜沉舟：将饭锅打破，将渡船凿沉。比喻不留退路，下定决心干到底。　　[4]曲突徙薪：把烟囱改建成弯的，把灶旁的柴草搬走。比喻事先采取措施，才能防止灾祸。曲，弯。突，烟囱。徙，迁移。薪，柴草。[5]豫防：即“预防”，事先预备。　　[6]焦头烂额：烧焦了头，灼伤了额。比喻境遇恶劣，做事棘手，十分窘迫难堪。

## 译文

形容敌人很容易被摧毁，常说“发蒙振落”；形容树立必定取胜的决心，常说“破釜沉舟”。建议改造烟囱、搬走柴草的人没有得到报答，是因为主人没有想到预防的重要性；参与救火而弄得焦头烂额的人都成了上宾，这是因为主人只知道参与救急的人功劳重大。

## 延伸阅读

### 曲突徙薪

古时候，有一户人家新造了一间厨房。不久，有一个人来拜访，他看了看厨房之后，便对主人说：“你家灶间的烟囱又高又直，灶旁堆满了干柴，这样很容易发生火灾。你最好把烟囱弯曲一下，把柴草搬到院子里。”

主人听完之后，只是“嗯”了一声，并没有照着去做。过了一些日子，他的厨房真的发生了火灾。他马上请村里人救火，大家齐心协力把火扑灭。许多人额头上都被火烫伤了，而主人家也遭受了很大损失。

为了酬谢乡亲们，主人杀了头牛，摆了些酒菜，按照救火时出力的多少排列了客人的座次，用来表示他对乡亲的感谢之意。这样，所有的救火者都坐上了席，唯独遗漏了那个前几天建议他改装烟囱、搬走柴草的人。

于是大家觉得很奇怪，就问道：“那个人怎么没有来啊？”主人不以为然地说道：“你们奋勇救火，连焦头烂额都顾不上。至于他，火灾当天，我并没有看见呀！”“你错了！”有个人大声说道，“如果你早听了他的话，这次火灾就可以避免了。你也就省去了杀牛设酒的花费了。你感谢我们帮忙救火，难道就忘了他提出‘曲突徙薪’的一片好心吗？”主人被这话提醒，心中过意不去，赶紧去请那位客人过来，并让他坐到上座。

从此以后，凡是劝诫人们防患未然，事先应该做好准备的，就可以用“曲突徙薪”这句成语。

## 思考讨论

表示事先做好准备之意的成语还有哪些？请说说看。

管中窥豹[1]，所见不多；坐井观天[2]，知识不广。无势可乘[3]，英雄无用武之地[4]。有道则见[5]，君子有展采之思[6]。

## 注释

[1] 管中窥豹：从竹管的小孔里看豹，只看到豹身上的一块斑纹。比喻只看到事物的一部分，所见不全面或略有所得。窥，看。[2] 坐井观天：坐在井里看天。比喻眼界狭窄，学识肤浅。[3] 无势可乘：没有可以把握的机会。势，形势、环境。乘，利用、凭借。[4] 英雄无用武之地：比喻才能无处发挥或没有机会发挥。[5] 有道则见：国家政治清明，就出来做事。见，同“现”，出现。[6] 展采之思：施展自己做官的才能的愿望。展，施展。采，古代卿大夫受封的土地，后引申为官职。

## 译文

“管中窥豹”，形容看到的东西很少；“坐井观天”，形容懂得的知识不多。没有机会施展才干，常说“英雄无用武之地”；国家政治清明的时候出来做官，常说“君子有展采之思”。

## 延伸阅读

### 盲人摸象

大街上，有四个盲人在谈论，其中一位盲人说：“听说大象很大，还会表演搬东西呢！”另一位盲人说：“我们要是能够知道大象是什么样子，那该多好！”

这时，有一个人骑着一头大象走了过来，骑象人听了盲人的谈话，走上前去说：“你们想知道大象是什么样子，那好，你们都过来摸一摸吧！”盲人听了十分高兴，一起走上前来摸象。

一个盲人摸到了象的牙齿：“我知道了，大象啊，原来像一条又弯又硬的短棒子。”

另一个盲人摸到了象的耳朵：“大象就像一把又圆又大的蒲扇。”

第三个盲人摸到了大象的腿：“不像短棒子，也不像大蒲扇，倒像是一根又粗又直的柱子。”

第四个盲人摸到了大象的尾巴：“你们说的都不对，这大象，不过像一根绳子罢了。”四位盲人心满意足地一起说：“这回知道大象是什么样子了。”

可是，他们哪里知道，他们当中没有一个真正知道大象是什么样子。对人或者对事，只知道他们的一部分就下结论，往往是不全面的，甚至是错误的。



### 思考讨论

你有没有误解别人的时候？产生误解的原因是什么？

## 饮 食

**临渊羡鱼[1]，不如退而结网；扬汤止沸[2]，不如去火抽薪[3]。羔酒自劳[4]，田家之乐；含哺鼓腹[5]，盛世之风。**

### 注释

[1]临渊羡鱼：站在水边想得到鱼。比喻只有愿望而没有付诸行动，对事情毫无好处。渊，深水。羡，希望得到。 [2]扬汤止沸：比喻办法不彻底，没有从根本上解决问题。汤，开水。 [3]去

火抽薪：比喻从根本上解决问题。　　[4]羔酒自劳：自己烹羊酿酒来犒劳自己。形容自得其乐的田园生活。羔，小羊。自劳，自己犒劳自己。　　[5]含哺鼓腹：口含食物，手拍肚子。形容太平时代无忧无虑的生活。哺，口中所含的食物。鼓腹，鼓起肚子，即饱食。

## 译文

站在水边想要得到鱼，不如回家织好渔网；将开水舀起来再倒回去来制止水沸腾，还不如抽掉柴草去掉火源。自己烹羊酿酒来犒劳自己，这是农家生活的乐趣；口中含着食物，用手拍打着肚子，这是太平盛世的景象。

## 延伸阅读

### 扬汤止沸与釜底抽薪

锅里的水沸腾了，想要让它停止，可以采取什么办法呢？生活的经验告诉我们，有两种方法：一是扬汤止沸，二是釜底抽薪。

“扬汤止沸”的意思是用勺舀起锅中的水，然后再将这勺水倒回锅里，从而让锅里的水停止沸腾；“釜底抽薪”是将锅底下的柴火抽走，从而让水停止沸腾。

那么，这两种办法哪种好呢？显然，“扬汤止沸”不如“釜底抽薪”。

众所周知，液体沸腾需要的条件有两个：一是液体的温度要达到沸点；二是液体的温度达到沸点之后，能够继续吸收热量。

扬汤之所以能够止沸，是因为沸腾的水舀起来再浇回锅里，舀起来的水就会降低温度。在倒下去的时候，水与空气接触面积增大，流动加快，蒸发加快，温度降低。再倒回锅里去，通过热的传递，使整锅水的温度降低，低于沸点，从而达到止沸的目的。但是过不了多久，水一旦达到沸点，还是会重新沸腾起来。

釜底抽薪是直接将锅底的柴草抽走，停止对锅里的水加热，使得水的温度降低。吸热过程一旦停止，沸腾也就停止了。这是一种彻底的办法，能够从根本上停止水的沸腾。

## 思考讨论

你还知道哪些反映生活现象的词语呢？请举个例子。



**人贪食曰徒馎啜[1]，食不敬曰嗟来食[2]。多食不厌[3]，谓之饕餮之徒[4]；见食垂涎[5]，谓有欲炙之色[6]。未获同食，曰向隅[7]；谢人赐食，曰饱德[8]。**

## 注释

[1] 徒馎（bū）啜：只是为了吃喝。馎，吃。啜，喝。 [2] 嗟来食：喂，来吃吧。表示带有侮辱性的施舍。嗟，呼唤对方，含有轻蔑之意。 [3] 厌：满足。 [4] 饕餮（tāo tiè）：传说中的神兽，最大的特点就是贪吃。 [5] 垂涎：口水下流。 [6] 欲炙之色：想吃烤肉的神色。炙，烤肉。 [7] 向隅：对着墙角。指惠不及众或孤独失意。隅，墙角。 [8] 饱德：饱受恩德。感谢别人宴请的客气话。

## 译文

说一个人贪吃，常用“徒馎啜”；给人食物态度傲慢无礼，就叫“嗟来食”。吃得很多却总不满足的人，称为“饕餮之徒”；看到食物就流口水，叫做有“欲炙之色”。没有获得共同进餐的待遇，称为“向隅”；感谢别人宴请，叫做“饱德”。

## 延伸阅读

### 嗟来食

有一年，齐国大旱，一连三个月没下雨，庄稼全被晒死了。穷人吃完了树叶吃树皮，吃完了草苗吃草根，眼看着一个个都要饿死了。

有个名叫黔敖的富人，看着穷人饿得东倒西歪的样子，就拿出粮食，每天熬粥，摆在大路边，施舍给过往的饥饿的人。

这时，有一个瘦骨嶙峋的饥民走过来，只见他满头乱蓬蓬的头发，衣衫褴褛，脚上用草绳绑着一双破烂不堪的鞋子。他一边用破旧的衣袖遮住面孔，一边摇摇晃晃地迈着步子。由于几天没吃东西，他已经支撑不住自己的身体，走起路来有些东倒西歪。

黔敖看见这个饥民的模样，便开始准备起来。他一边端着食物，一边不屑地说道：“喂！吃吧！”饥民抬起头，瞪大他的眼睛，盯着他，说道：“我就是因为不愿意吃这带有侮辱性的施舍，才落到今天这个地步的。收起你的东西吧，我宁愿饿死也不愿吃这样的嗟来之食！”

黔敖万万没料到，饿得这样摇摇晃晃的饥民竟还保持着自己的人格尊严，于是满面羞惭，跟在饥民后面，向他真诚地道歉。可是，直到最后，那个饥饿的人也没有吃他的东西，不久就饿死了。

## 思考讨论

读了上述故事，你有什么启发？黔敖道歉以后，那个饥饿的人为什么还不吃他的东西呢？

**安步可以当车[1]，晚食可以当肉[2]。饮食贫难，曰半菽不饱[3]；厚恩图报，曰每饭不忘[4]。谢扰人曰兵厨之扰[5]，谦待薄曰草具之陈[6]。**



## 注释

[1]安步：缓步而行。 [2]晚食：饿了之后再吃，自然有滋有味，像吃肉一样香。 [3]半菽不饱：半菜半粮的饭食都吃不饱。半菽，半菜半粮，指粗劣的饭食。菽，本指大豆，引申为豆类的总称。 [4]每饭不忘：指时刻不忘。 [5]扰人：叨扰别人，称烦人款待。兵厨：原指步兵厨房，后来称储藏美酒的地方。[6]草具之陈：摆出来的饭食粗劣。草具，粗劣的饭食。

## 译文

平缓安稳地行走，可以当车；肚子饿了才进食，吃什么都有滋味，可以当肉。家境穷困难以吃饱，称为“半菽不饱”；受人厚恩常思报答，称为“每饭不忘”。谢人款待、叨扰酒食，说是“兵厨之扰”；主人自谦待客菲薄，叫做“草具之陈”。

## 延伸阅读

### 阮籍当官

阮籍是魏晋时期有名的诗人，“竹林七贤”之一，他崇奉老庄之学，一生任情傲物，不拘世俗礼法。不过，就是这样不追求名利的阮籍也当过几次官。

曹魏末年，司马懿斗败曹魏宗室曹爽后，把持朝政。其子司马昭想让名士阮籍当官，树立他礼贤下士的形象，从而提高他的声名，可是很少成功。

一次，阮籍无意中说起山东东平的风土人情很好，司马昭就让阮籍去东平做官。阮籍想着反正东平那地方好玩，骑着驴就去了。到了东平之后，他发现官衙办公是一人一屋，官员们商量公务时，还得到对方的办公室寒暄半天。于是，阮籍立即“现场办公”，下令把墙壁都拆掉，既便于大家沟通，又便于相互监督，官员们不得不认真工作，效率也提高了。办完这件事后，阮籍觉得好玩的已经玩过了，就骑着驴回洛阳了。他这次当官，仅仅十天时间。

后来，朝廷又要阮籍做官，允许他在一定范围内任选一职。阮籍想了一想说：“那么，我就担任北军的步兵校尉吧。”为什么

竹林七贤（一）

竹林七贤（二）



阮籍会愿意担任这个职位呢？原来，阮籍事前打听到这个兵营里有一个厨师特别会酿酒，厨房里还保存着三百斛美酒。他之所以愿意做步兵校尉，完全是冲着酒而去的。除了喝酒，阮籍一件公务也没管过。

这就是阮籍的当官经历，完全是出于一种游戏的心态。这种豁达放任的态度不仅让人意外，也让人惊叹。

## 思考讨论

你觉得阮籍是个什么样的人？你对他喝酒这件事有什么看法？

**隐逸之士，漱石枕流[1]；沉湎之夫[2]，藉糟枕曲[3]。昏庸桀纣[4]，胡为酒池肉林[5]？苦学仲淹，惟有断齑画粥[6]。**

## 注释

[1]漱石枕流：晋代孙楚少年时想隐居，对王武子说："当枕石漱流。"结果说成"漱石枕流"，他辩解说："'漱石'，是为了磨

砺牙齿；‘枕流’，是为了洗耳。”后用此比喻士大夫的隐居生活。也作“枕石漱流”。　[2]沉湎（miǎn）：沉溺，耽于。比喻潜心于某事物或处于某种境界、思维活动中，深深迷恋，无法自拔。此处指嗜酒无度。　[3]藉糟枕曲：靠着酒糟，枕着酒曲。比喻嗜酒。　[4]桀纣：夏朝和商朝的末代君主桀和纣，相传都是暴君。[5]酒池肉林：以酒为池，悬肉为林，形容生活奢侈，纵欲无度。[6]断齑（jī）画粥：把腌菜割成几截，把冷粥划成几块。形容贫苦力学。断，切断。齑，酱菜或腌菜之类。

## 译文

退隐山林的读书人，说是用石头磨砺牙齿、用流水洗耳；嗜酒无度的人，说是靠着酒糟，枕着酒曲。昏庸无道的桀和纣，为什么要以酒为池，以肉为林，过着穷奢极欲的生活呢？刻苦求学的范仲淹，每天只靠切断咸菜，划分粥块来充饥。

## 延伸阅读

### 断齑画粥

北宋名臣范仲淹幼年很不幸，他出生第二年，父亲就生病去世了，他的母亲迫于生计，改嫁到一个姓朱的富户家里，他就在朱家长大成人。范仲淹从小读书就十分刻苦，朱家很有钱，但是他为了励志，常常跑到附近寺院中寄宿读书。

那时，范仲淹的生活极其艰苦，每天晚上，他用糙米煮好一锅稠粥，等到第二天早晨粥凝结成冻后，用刀划成四块，早上吃两块，晚上再吃两块。没有菜，就切一些腌菜下饭。

这样过了三年，范仲淹来到应天府书院读书。他十分珍惜这

范仲淹划粥



个崭新的学习环境，昼夜不息地攻读。而生活上，仍然保持了之前的那份清苦。范仲淹的一个同学看他终年吃粥，就送了些美食给他。他竟然一口都不吃，任凭美食发霉。直到他的同学怪罪起来，他才致歉："并不是我不想吃，只是我已经过惯了吃粥吃腌菜的生活，一旦享受这些美食，就怕以后再也不习惯艰苦的生活，再也吃不起苦了。所以才没有吃。"

范仲淹连年苦读，从春至夏，经秋历冬，从没有停歇。几年之后，范仲淹就对儒家经典十分熟识，吟诗作文无所不精，成为一名杰出的文学家。而他以天下为己任的胸怀和远见的卓识，使他成为了著名的政治家。

## 思考讨论

你在学习中遇到的最艰难的事情是什么？你是如何解决的？

# 器 用

**共笔砚，同窗之谓[1]；付衣钵[2]，传道之称。笃志业儒[3]，曰磨穿铁砚[4]；弃文就武[5]，曰安用毛锥[6]。**

## 注释

[1]同窗：同学，同师受业的人。 [2]付衣钵：泛指师传的学问、技能。 [3]笃志业儒：下定决心以儒学为业。笃志，志向专一不变。笃，忠实、一心一意。 [4]磨穿铁砚：磨穿了铁铸的砚台。形容立志不移，持久不懈。也形容笔墨功夫之深。[5]弃文就武：放弃文业，改从武事。 [6]毛锥：指毛笔，以束毛为笔，形状如锥。

## 译文

"共笔砚"，是同学的称谓；"付衣钵"，是师长传授弟子的说法。立定志向去钻研儒学，称作"磨穿铁砚"；放弃文学，改学武艺，就说"安用毛锥"。

## 延伸阅读

### 磨穿铁砚

五代时候，洛阳城有个读书人，名叫桑维翰。这人天资聪颖，读书用功，诗和文都写得不错。

一年春天，桑维翰参加了进士考试，文章写得很漂亮，主考官很是欣赏，决定录取他。可是当这位主考官看到桑维翰的名字时，不由地皱起了眉头。原来，主考官嫌桑维翰的姓和死丧的“丧”字同音，念起来不吉利，同时也怕录取后皇帝怪罪。于是就派人去告诉桑维翰，让他把姓改掉，并保证改了之后，一定使他金榜题名。

桑维翰听了，很生气。他对来人说：“我这个姓，是桑树的‘桑’，和死丧的‘丧’明明是两个字，为什么要让我改掉？做人要光明磊落，我不能为了考上进士做官，就弄虚作假！”他拒绝了主考官的请求。

主考官很不高兴，抓起墨笔，在桑维翰的试卷上打了个浓浓的黑钩。就这样，桑维翰落第了。

桑维翰知道了这个消息，并没有沮丧灰心，反而更坚定了信心，他铸了一方铁铸的砚台，斩钉截铁地向朋友们宣称：“什么时候这方铁砚磨穿了，我才用其他的方法求得仕进！”

功夫不负有心人。桑维翰终于在一次考试中名列前茅，并且以这为起点，成就了自己的事业。

“磨穿铁砚”，源出于这个故事，表示不怕挫折努力奋进。后来演化为一个成语，形容人刻苦读书做文章，获得了丰富的知识，并取得了巨大的成就。

## 思考讨论

你知道中国古代的“文房四宝”吗？请说一说。

刻舟求剑[1]，固而不通[2]；胶柱鼓瑟[3]，拘而不化[4]。斗筲言其器小[5]，梁栋谓是大材[6]。

## 注释

[1] 刻舟求剑：在船上作记号，来寻找落入水中的宝剑。比喻无视事情的发展而静止地看待问题。　[2] 固而不通：固执而不知变通。　[3] 胶柱鼓瑟：用胶把柱粘住以后弹瑟，柱不能移动，就无法调弦。比喻拘泥成规，不知灵活变通。瑟，一种古乐器。柱，瑟上转动琴弦以调节声音高低的短木。　[4] 拘而不化：拘泥而不知变化。　[5] 斗筲（shao）：斗和筲都是很小的容器。后来比喻人的见识短浅，器量狭小。斗，容十升。筲，容一斗二升。　[6] 梁栋：即栋梁，房屋的大梁，比喻担负国家重任的人。

## 译文

照着船上所刻的记号下水去寻找宝剑，形容头脑僵化，不知变通；用胶粘住弦柱去弹瑟，形容固执拘泥，不知变化。“斗筲”是说人的器量狭小，“栋梁”是说人有大的才干。

## 延伸阅读

### 刻舟求剑

战国时，楚国有一个人，他带着一把宝剑，来到江边，想要到对岸去。这时，一位船夫划着一条小船过来，楚人上了小船，靠在船的一边。小船向对岸划去，刚到江心，只听“扑通”一声，楚人随身携带的宝剑掉进水里去了。“哎呀，你的宝剑掉了。”船夫不无惋惜地说，“赶快下去捞起来吧。”

可是，楚人看了看宝剑掉下去的地方，好像并不着急："没事，没事，我先来做个记号。"只见他拿出一把小刀，蹲下身来，在船帮上做了一个记号。"宝剑刚才是从这里掉下去的。"船夫觉得很奇怪，不过他也没再问他，只是继续把船往前划。

不一会儿，船终于靠岸了，楚人从做记号的地方"扑通"一声跳进水里，他在下面捞啊捞，捞了很长时间，也没有捞到宝剑，只好重新爬上岸。他觉得很奇怪，便自言自语道："我的宝剑不就是在这里掉下去的吗？我还在这里刻了记号呢，怎么会找不到呢？"旁边的人说："船是从对岸过来的，你的剑是在那边掉进水里的。船一直在行进，而你的宝剑却沉入了水底不动，你怎么找得到你的剑呢？"说完，忍不住大笑起来。



## 思考讨论

这个楚国人为什么找不到他的剑？这个故事告诉我们什么道理？

**夜可击，朝可炊，军中刁斗[1]；云汉热，北风寒，刘褒画图[2]。勉人发愤[3]，曰猛著祖鞭[4]；求人宥罪[5]，曰幸开汤网[6]。**

## 注释

[1]刁斗：用铜制作的古代军队用具，夜间用来打更，白天用来做饭。 [2]刘褒画图：汉代刘褒画《云汉图》，观看的人都感到热；又画《北风图》，观看的人都感到凉快。刘褒，东汉桓帝时蜀郡太守，善于作画。 [3]发愤：下定决心，立志。[4]猛著祖鞭：晋代刘琨与祖逖要好，曾给好友写信说："我立志

驱除南犯的敌人，只恐祖逖的马鞭打到我的前面。”后用来勉励人努力进取。著，策、打。祖，祖逖。　[5] 宥（yòu）罪：赦免罪过。宥，赦免、宽宥。　[6] 汤网：商汤网开三面，比喻刑政宽大。

## 译文

夜里巡更可以用来敲击，白天可以用来煮饭，说的是古代军队中使用的刁斗。画《云汉图》，看的人都会觉得热；画《北风图》，看的人都会觉得寒冷，这说的是东汉刘褒作画传神。勉励别人发愤图强，就说“猛著祖鞭”；请求别人宽恕自己的罪过，就说“幸开汤网”。

## 延伸阅读

### 网开三面

中国历史上第二个朝代商朝的创立者成汤，据说是一个仁慈宽厚之人。

有一天成汤到野外散步，看到有人从四面张起网来捕捉鸟兽，还祷告说：“从天上来的，从地上来的，从四面八方来的，所有的鸟兽统统进入我的网内。”

成汤听了，不禁感叹：“全入网中哪能行呢？岂不是把鸟兽都打光啊？这不正如夏桀的行为吗？”于是成汤也张了网，他去掉三面，只留了一面，也祷告说：“想往左跑的，就往左飞；想往右跑的，就往右飞；不听话的，就向网里钻吧。”成汤的仁德惠及鸟兽，四方诸侯听到之后，大为震动，都去投奔商，成汤的势力日益壮大。

为了了解施政的情况，提高施政效果，成汤非常乐于听取广泛的意见，也常常鼓励人们提意见。他说：“用水可以照人的影子，听了人民的反映，才知道治理得是好还是坏。”这一言论，比起骄奢淫逸、残暴不仁的夏桀来说，可以说是深得人心。夏桀以天命自居，把自己比作太阳，他曾说：“我有天下，好比天上有太阳，太阳会没有吗？”他始终没有听取大臣的劝诫，对自己的残暴统治毫无收敛。终于导致民怨沸腾，纷纷支持商汤灭夏。

经过一段时间的筹备，成汤就发起了大规模的灭夏战争。在诸侯和四方人士蜂起响应下，商军所向披靡，终于灭掉了夏朝，建立了商朝的统治。



### 思考讨论

你觉得商汤是个什么样的人？我们应该如何保护自然界中的动植物，保持生态平衡？

**传檄可定[1]，极言敌之易破；迎刃而解[2]，甚言事之易为。以铜为鉴[3]，可正衣冠；以古为鉴，可知兴替[4]。**

### 注释

[1]传檄可定：不用出兵，只需要一纸文书，就可以降服敌方，安定局势。檄，讨敌文书。　[2]迎刃而解：碰到刀口，就分解开来了。比喻事情极易解决。　[3]鉴：镜子。　[4]兴替：兴盛和衰败，多指王朝的改朝换代。替，衰败、更替。

## 译文

“传檄可定”，说的是敌人极其容易打败；“迎刃而解”，说的是事情容易解决。用铜做镜子，可以整理衣服和帽子；用历史做镜子，能够知道王朝兴旺强盛与衰败更替的缘由。

## 延伸阅读

### 唐太宗的人镜

初唐名臣魏征为人刚直，从不曲意逢迎，经常犯颜直谏。凡是他认为正确的意见，必定当面直谏，坚持到底，决不背后议论。

有一次，唐太宗对长孙无忌说：“魏征每次向我进谏时，只要我没接受他的意见，他总是不答应，不知是何原因。”没等长孙无忌开口回答，魏征就接过话头说：“陛下做事不对，我才进谏。如果陛下不听我的劝告，我又立即顺从陛下的意见，岂不违背了我进谏的初衷了吗？”太宗说：“你当时应承一下，退朝之后，再单独向我进谏，难道不行吗？”魏征却说：“当面顺从，背后又另讲一套，这不是臣下忠君的表现，而是阳奉阴违的奸佞行为。对于您的看法，为臣不敢苟同。”

还有一次，唐太宗从长安去洛阳，因为当地供应的东西不好，唐太宗很生气。魏征对他说：“隋朝就是因为无限制地追求享乐而灭亡的。现在因为供应不好就发脾气，以后必然上行下效，各地方拼命供奉，以求陛下满意。可是供应是有限的，而人的奢侈欲望是无限的。如此下去，隋朝的悲剧又该重演了。”太宗听了这番话肃然心惊，以后很注意节俭。

魏征去世以后，唐太宗对他极为思念，感慨地说：“以铜为镜，可以正衣冠；以古为镜，可以知兴替；以人为镜，可以明得

魏征和唐太宗



失。我常常保持这三面镜子，防止自己犯过错。现在魏征突然去世，使我丧失了一面镜子啊。”

### 思考讨论

如果父母做错了事情，你会指出来吗？为什么？

## 珍 宝

宋人以燕石为玉[1]，什袭缇巾之中[2]；楚王以璞玉为石[3]，两刖卞和之足[4]。惠王之珠[5]，光能照乘[6]；和氏之璧[7]，价重连城[8]。

## 注释

[1]以燕石为玉:把燕山产的石头当做宝玉。 [2]什袭缇巾:用十层橘红色的丝巾包藏起来。什，同“十”。缇，橘红色。[3]璞（pú）玉:藏有美玉的石头或未经雕琢的玉石。此处指前者。[4]刖（yuè）:古代把脚砍掉的一种酷刑。卞和：一作“和氏”，楚国荆（今属湖北）人，和氏璧的发现者。 [5]惠王之珠：战国时魏惠王曾吹嘘自己有直径一寸，能照亮十二辆车乘的明珠十枚。 [6]乘（shèng）:古代称四马一车为一乘。 [7]璧：平而圆，正中有孔的玉器。 [8]价重连城:形容物品十分贵重。连城，连在一起的许多城池。

## 译文

宋国有人得到一块燕石，把它当成了宝玉，就用十层橘红色丝巾把它包得严严实实的；楚国卞和得到一块璞玉，先后献给厉王和武王，两位楚王以为这不过是块石头，就以欺君罪先后砍掉了卞和的左脚和右脚。魏惠王的宝珠所发出的光亮，能够照亮十二乘车的前前后后；和氏璧非常珍贵，可以抵得上许多城池的价值。

## 延伸阅读

### 和氏献璧

春秋时期，楚国有个人叫卞和，一次偶然的机会，他在一座山下发现了一块璞玉。为了表示自己对君主的忠心，他把这块璞玉献给了楚厉王。楚厉王找来玉工进行鉴定，玉工认为这就是一块普通的石头。厉王非常生气，认为卞和有意欺骗他，就下令砍掉卞和的左脚，并把卞和驱逐出楚国。

楚厉王死后，楚武王继位。卞和回到楚国，把这块璞玉献给了楚武王。玉工仍鉴定为石头，武王以欺君之罪砍掉了卞和的右脚。

又过了几十年，武王之子文王继位。这时的卞和又想把璞玉献给楚文王，无奈自己已是风烛残年，又被砍掉了双脚，行动很不方便。眼看自己的愿望无法实现，卞和便怀抱璞玉来到楚山下，痛哭三天三夜。最后，他的眼泪都流尽了，眼睛直滴血。

这件事传到了楚文王那里，文王派人问卞和："天下被砍掉双脚的人很多，你为何哭得如此悲伤呢？"卞和答道："我并不是因为被砍掉双脚而痛哭，而是因为明明是宝玉，却被误认为石头；明明是忠贞之士，却被当做欺君之臣啊。"文王听后，命人把卞和带到宫殿，并使玉工当面剖开璞玉，果然得到一块无瑕的美玉。为了嘉奖卞和的忠君之心，文王将此玉命名为"和氏之璧"，并把它奉为国宝而珍藏起来。



## 思考讨论

石头之中可能藏着一块美玉，这件事情告诉我们什么道理？

**王者聘贤，束帛加璧[1]；真儒抱道[2]，怀瑾握瑜[3]。雍伯多缘[4]，种玉于蓝田而得美妇；太公奇遇，钓璜于渭水而遇文王[5]。**

## 注释

[1]束帛加璧：五匹帛上面再加美玉。古时聘请或探问时奉送的贵重礼物。帛，丝织品的总称。束帛，帛五匹。　[2]真儒抱道：真正的儒者坚守自己的道义。抱道，坚守道义。　[3]怀瑾握瑜：

比喻人具有纯洁优美的品德。怀，怀藏。瑾、瑜，都是美玉。

[4] 雍伯：应为“伯雍”，即杨伯雍，又作“阳伯雍”，以东晋志怪小说《搜神记》中“阳伯雍无终山种玉”的故事而闻名。

[5] 璜（huáng）：半璧形的玉。

## 译文

古代君王聘请贤能的人时，奉送五匹帛再加上玉璧；真正的儒者坚守自己的道义，就像“怀瑾抱瑜”一样品德高尚。杨伯雍的际遇真多，在蓝田种石得玉，又取得徐公的娇女为妻；姜太公的遭遇很神奇，在渭水边垂钓，从鲤鱼肚里得到一块璜玉。

## 延伸阅读

### 太公钓鱼

商朝末年，纣王荒淫无度，残暴不仁，人民生活非常艰苦。大臣姜子牙不能忍受纣王的胡作非为，就躲到渭水河边过着隐居的日子。

渭河一带是西伯侯姬昌即后来的周文王的管辖范围。姬昌胸怀大志，很爱惜人才。为了吸引姬昌的注意，姜子牙天天坐在河边钓鱼。他的渔钩是直的，没有鱼饵，而坐的位置高出水面三尺。

他一边钓一边说：“鱼儿呀，你快点上钩吧！”有人好意地告诉他这样钓不到鱼，姜子牙却并不理会，只是笑着说：“鱼儿自己会上钩的。”

结果这件事传到姬昌耳里，姬昌心想他可能是个有才能的奇人，就派士兵去请他来。姜子牙看到是士兵，不但不理睬，还继续钓鱼，嘴里还一边念着：“钓、钓、钓，鱼儿不上钩，虾米来捣乱！”士兵只好回去报告。

于是姬昌又派大臣去请，姜子牙看见是大臣，仍然不理睬，嘴里念着："钓、钓、钓，大鱼不上钩，小鱼来捣乱！"大臣只好回去报告。

最后，姬昌准备了丰厚的礼品，亲自拜访姜子牙。姜子牙看出他的确是诚心诚意，于是就答应辅佐他。姬昌为了表示对他的尊敬，就称他为太公。后来姜子牙继续辅佐武王，为推翻商朝的统治，建立中国历史上年代最久的周朝作出了不朽的贡献。

## 思考讨论

姜太公钓的是鱼吗？太公钓鱼与刘备三顾茅庐有什么不同？



**剖腹藏珠[1]，爱财而不爱命；缠头作锦[2]，助舞而更助娇。孟尝廉洁[3]，克俾合浦还珠[4]；相如忠勇，能使秦廷归璧[5]。**

## 注释

[1] 剖腹藏珠：破开肚子把珍珠藏进去。比喻为物伤身，轻重颠倒。　[2] 缠头作锦：古代艺人表演时以锦缠头，表演结束后客人往往以锦罗赠给艺人，即表示为歌舞助兴，又期盼艺人更娇媚。[3] 孟尝：字伯周，会稽上虞（今属浙江）人，东汉官员，曾任合浦太守。为官清正廉洁，为民所爱戴。　[4] 克俾（bǐ）：能够使。克，能够。俾，使、令。合浦还珠：比喻东西失而复得或人去而复回，同"合浦珠还"。合浦，郡名，治合浦（今属广西）。　[5] 秦廷归璧：战国时赵国上卿蔺相如用计谋将和氏璧从秦国送归赵国的故事。

## 译文

破开肚子来收藏珍珠，这种人只知爱财而不知珍惜生命；歌舞艺人表演时以锦缠头，表演结束后客人以锦罗相赠，这既是为歌舞助兴，又期盼艺人更娇媚。东汉孟尝廉洁奉公，担任合浦太守后，革除前人弊端，使珍珠又回到了合浦；战国时蔺相如对赵王忠心耿耿，出使秦国，迫使秦王屈服，终于将和氏璧带回了赵国。

## 延伸阅读

### 合浦还珠

东汉时，合浦郡不产粮食作物，也不产果实，而盛产珍珠。那里产的珍珠又圆又大，色泽纯正，一直誉满海内外，人们称它为“合浦珠”。当地百姓都以采珠为生，而需要的粮食，多从邻近的交趾郡(汉时所置，即今越南北部的东京州)运来。

由于采珠的收益很高，一些官吏就乘机贪赃枉法，巧立名目，盘剥珠民。为了捞到更多的油水，他们不顾珠蚌的生长规律，一味地叫珠民去捕捞。结果，珠蚌逐渐迁移到邻近的交趾郡内，在合浦能捕捞到的越来越少了。

合浦沿海的渔民向来靠采珠为生，很少有人种植稻米。采珠多，收入高，买粮食花些钱也不在乎。如今产珠少，收入锐减，渔民们连买粮食的钱都没有，行旅商贩也不过来了，不少人因此而饿死。

汉顺帝刘保继位后，派孟尝当合浦太守。孟尝到任后，很快找出了当地经济凋敝、生民饥馑的原因。他下令革除弊端，废除盘剥的非法规定，并且不准渔民滥捕乱采，以便保护珠蚌的资源。不到一年，那些迁移而去的珠蚌又重回合浦，繁衍生长起来。就这样，合浦又成了盛产珍珠的地方，百姓重新过上了安乐幸福的生活。

## 思考讨论

这则故事反映了生态保护过程中的什么道理？

**以小致大，谓之抛砖引玉[1]；不知所贵，谓之买椟还珠[2]。贤否罹害[3]，如玉石俱焚[4]；贪得无厌，虽锱铢必算[5]。**



## 注释

[1] 抛砖引玉：抛出砖去，引回玉来。比喻自己发表粗浅的意见或文章，目的在于引出别人的高见或佳作，表示谦虚。

[2] 买椟还珠：买下木匣，退还珍珠。比喻舍本逐末、取舍不当，只重外表，不重实质。椟，木匣子。

[3] 贤否（pǐ）罹（lí）害：贤者与不贤者一同遭受灾害。否，不好。罹，遭受苦难或不幸。

[4] 玉石俱焚：美玉和石头一同烧毁。俱，全、都。焚，烧。

[5] 锱铢（zī zhū）必算：很少的钱也要计较。锱铢，古代的重量单位，锱为一两的四分之一，铢为一两的二十四分之一，比喻极其微小的数量。

## 译文

用小的引来大的，称为“抛砖引玉”；不懂得事物的贵贱而取舍失当，称为“买椟还珠”。好人和坏人一同遭受灾害，如同美玉和石头一同烧毁；贪图钱财到了无法满足的地步，即使很少的钱也要计较。

## 延伸阅读

### 买椟还珠

从前，楚国有一个商人，在郑国做珠宝生意。

有一次，楚人得了一枚宝珠。这枚宝珠玲珑剔透，光彩夺目，十分名贵。为了衬托宝珠的名贵，提高宝珠的身价，楚人精心准备了一个盒子。盒子由一种名叫木兰的香木制作而成，经过肉桂、山椒等高级香料的熏染，透着一种沁人的芳香。盒子的表面，点缀以晶莹的珠子，装饰以美丽的玉石，闪闪发光。盒子的边缘，连缀着翠鸟的羽毛，五彩缤纷。总之，盒子雍容华贵，十分精致。盒子制成之后，楚人小心翼翼地将这枚宝珠放入，拿到集市上卖。

这一天，楚人的店铺前川流不息，不少人在这儿驻足停留。他们对这个盒子爱不释手，却因为它的价值望而却步。不久，有个衣着华丽的郑国人，被汇聚的人流牵引，也来到楚人的店铺前。他仔细欣赏着这个盒子，内内外外都打量了一遍。沉吟半晌，他果断地出了一个高价，将楚人的盒子买下。楚人心想，宝珠终于物得其所，找到了真正的归宿。

楚人正想时，意想不到的一幕发生了：只见郑人打开盒子，将宝珠取出，交到楚人手中，然后带着盒子欣然离开了，只留下楚人在原地哭笑不已。

郑人重外表而轻实质，使他做出了舍本求末的不当取舍。而楚人的过分包装，喧宾夺主，也不免可笑。

## 思考讨论

如果你是这个楚国商人，你会选择用什么样的盒子来装这枚宝珠？为什么？

# 卷 四

## 文 事

**多才之士，才储八斗[1]；博学之德，学富五车[2]。三坟五典[3]，乃三皇五帝之书[4]；八索九丘[5]，是八泽九州之志[6]。**



### 注释

[1]才储八斗：比喻人富有才华。　[2]学富五车：形容读书多，学问广博。富，富有。五车，五车书。　[3]三坟五典：传说中我国最古老的书籍。伏羲、神农、黄帝之书称为“三坟”，少昊、颛顼、高辛、唐、虞之书称为“五典”。　[4]三皇五帝：三皇和五帝，传说中的远古帝王，他们都是原始社会末期部落或部落联盟的领袖。　[5]八索九丘：相传为古代书名。但说法不一。有说“八索”为八卦之说，“九丘”为九州之志。有说“八索”、“九丘”为《周礼》的八议、九刑。也有说“八索”、“九丘”为八泽、九州之志。　[6]八泽：八个湖泽，所指不明。九州：中国的别称之一。古代中国人将全国划分为九个区域，即所谓的“九州”。根据《尚书·禹贡》的记载，九州分别是徐州、冀州、兖州、青州、扬州、荆州、梁州、雍州和豫州。志：记载的文字。

## 译文

才华横溢的士人，称为“才储八斗”；学识渊博的学者，称为“学富五车”。“三坟五典”，是三皇五帝流传下来的书籍；“八索九丘”，是记载古代中国八泽九州的志书。

## 延伸阅读

### 才高八斗

南朝谢灵运是东晋名将谢玄之孙，他自幼聪明好学，才华横溢，又豪放不羁、纵情山水，创作了许多意境新奇、自然清新的诗歌，被后世誉为中国山水诗鼻祖。

谢灵运出身于东晋世家大族，因为袭封康乐公的爵位，被世人称为“谢康乐”。他身为公侯，却并无实权，仕途坎坷。为了摆脱自己的政治烦恼，谢灵运常常放浪山水，探奇览胜。他曾担任永嘉（今属浙江）太守，却常常丢下公务不管，去游山玩水。后来，他索性辞官移居会稽，常常与友人饮酒作乐。当地太守派人劝他节制一些，却总是被他怒斥。

直到南朝宋时，由于文帝很赏识他的文学才能，特地将他召回京都任职，并把他的诗作和书法称为“二宝”，还常常要他边侍宴，边写诗作文。一直自命不凡的谢灵运受到这种礼遇后，更加狂妄自大。有一次，他一边喝酒一边自夸道：“魏晋以来，天下的文学之才共有一石，其中曹子建（即曹植）独占八斗，我得一斗，天下其他的人共分一斗。”可见谢灵运对自己的才学是相当自负的。除了佩服曹植以外，其他人的才华都不在他眼里。

谢灵运的诗歌大部分描绘的是他所到之处的自然景物、山水名胜，他留下了许多自然清新、意蕴隽永的佳句。他的诗歌艺术性很强，非常注意形式美，极大地丰富和开拓了诗的境界，确立了山水诗的地位，对唐代的诗歌发展有重要的影响。

## 思考讨论

中国文化博大精深、源远流长，请举例说说表示才华横溢、学识渊博的其他成语。

**锦心绣口[1]，李太白之文章；铁画银钩[2]，王羲之之字法。雕虫小技[3]，自谦文学之卑；倚马可待[4]，羡人作文之速。**



## 注释

[1] 锦心绣口：比喻文章构思精巧，用词华美。李白有首诗的序中提到，他的堂弟喝醉了问他，兄长的心肝五脏难道都是锦绣吗？不然，为什么能开口成文、挥笔雾散呢？ [2] 铁画银钩：比喻书法刚健又柔美。画，笔画。钩，勾勒。 [3] 雕虫小技：比喻微不足道的技能。古代“雕龙”指写文章，“雕虫”指写书法。虫，指鸟虫书，古代汉字的一种字体，西汉学童必学的一种字体。[4] 倚马可待：靠着即将出征的战马起草文件，可以立等完稿。形容文思敏捷，文章写得快。倚，靠。

## 译文

“锦心绣口”，赞美李太白构思优美、辞藻华丽的诗文；“铁画银钩”，形容王羲之刚健又柔美的书法。“雕虫小技”，是自谦文才卑下的说法；“倚马可待”，是羡慕别人才思敏捷的赞美言辞。

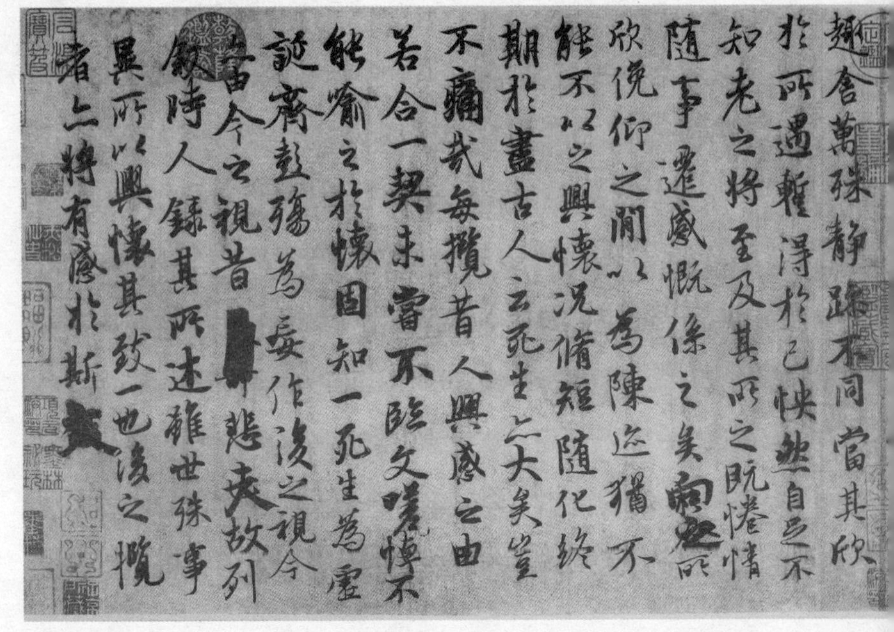




## 延伸阅读

### 王羲之练字

王羲之是东晋时非常著名的书法家，被后人誉为“书圣”。

七岁时，王羲之开始跟着当时最著名的书法家卫夫人学习书法。他练习起来非常刻苦，从不偷懒，就连平时走路的时候都在身上比画着练字，天长日久，把衣服都划破了。

王羲之夜以继日地练字，甚至达到了废寝忘食的地步。有一天，他正在聚精会神地练字，书童送来了他最爱吃的蒜泥和馍馍，几次催他快吃，他连头也没抬。后来他实在是饿了，拿起馍馍蘸着墨水，就往嘴里送。正巧，王羲之的母亲经过，看到他满嘴乌黑，忍不住大笑。听到母亲的笑声，不知情的王羲之还说：“今天的蒜泥可真香啊！”

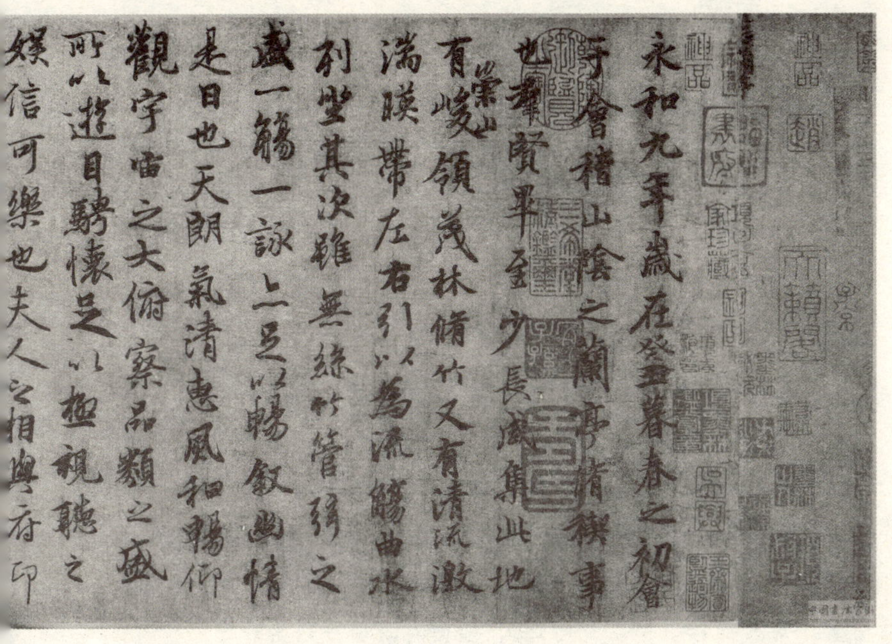

王羲之《兰亭序》

经过不懈努力，王羲之的书法达到了炉火纯青的地步。有一次，皇帝要到北郊去祭祀，事先让王羲之把祝辞写在一块木板上，再派匠人雕刻。雕刻的匠人在雕刻时感到非常惊奇，原来王羲之写的字，笔力竟然渗入木头三分多。他赞叹道："右军将军的字，真是入木三分呀！"

王羲之三十三岁时，与朋友外出游玩，写下了名满天下的书法作品《兰亭序》，字体潇洒流畅，气象万千，被称为"天下第一行书"。

### 思考讨论

王羲之为什么能够成为伟大的书法家？给你什么启发？

幼学琼林

**称人近来进德[1]，曰士别三日，当刮目相看[2]；羡人学业精通，曰面壁九年，始有此神悟[3]。五凤楼手[4]，称文字之精奇；七步奇才，羡天才之敏捷。**

## 注释

[1]进德：学识进步。　[2]士别三日，当刮目相看：指别人已有进步，应当用发展的眼光看待别人。这原是鲁肃夸赞吕蒙学有长进的话，后用来形容对人重视，另眼相待。刮目，擦眼睛。[3]面壁九年，始有此神悟：南朝梁时，天竺僧人菩提达摩来到中国，相传他在嵩山少林寺面壁坐禅，整天一句话不说，一共坐了九年。面壁，佛教徒称坐禅以“面壁”，即面对着墙壁默坐静修。

[4]五凤楼手：唐和后梁在洛阳都城建有五凤楼，极其雄伟。宋朝的韩浦和韩洎兄弟俩都有文名，但是韩洎一直对哥哥不服气。有一次，他说：“我哥哥写文章，就像造草棚茅屋，只能聊以避风雨。我写文章，就像造五凤楼的高手。”后来借喻文章写得好的人。

## 译文

称赞别人学识大有进步，就说“士别三日，当刮目相看”；羡慕别人学业精通，就说“面壁九年，始有此神悟”。五凤楼的手笔，赞美文章的精彩奇妙；七步之内吟成诗文，羡慕天才的文思敏捷。

## 延伸阅读

### 士别三日，当刮目相看

三国时期，据有江东六郡的孙权，手下有位名将叫吕蒙。他身居要职，却因为小时候没有机会读书，学识浅薄，见闻不广。有一天，孙权对吕蒙和另一位将领蒋钦说："你俩现在身负重任，得好好读书，增长自己的见识才是。"

吕蒙不以为然地回答说："军务繁忙，恐怕没有时间读书。"

孙权说："我又不是让你做编纂文献经典的博士，只是想让你多涉猎一些历史典故。你说军务繁忙，再忙也不比我忙呀。我小时候读五经，后来读三史及各家兵书，觉得大有益处……当年汉光武帝统率千军万马打仗的时候仍手不释卷，曹操也自称老而好学，更何况是你们呢。"

听了孙权的这番话，吕蒙很受启发。于是，他开始抓紧时间学习。很快，他所看过的书就超过了一般儒生。

有一次，鲁肃来找吕蒙谈论政事。交谈中，鲁肃常常理屈词穷，被吕蒙难倒。鲁肃不由赞叹说："我以前说老弟是一介武夫，只有勇力。但是到了现在，学识也如此渊博，已经不是昨日的吴下阿蒙啦。"吕蒙笑笑："俗话说'士别三日，当刮目相看'。兄长的反应不免有些迟钝啊。"接着，吕蒙透彻地分析了当时的军事形势，并秘密地向鲁肃提了对付关羽的三条计策，鲁肃感激地接受了。

后来，孙权赞扬吕蒙说："能像吕蒙那样自强不息，好学不辍实在是很少见的。这种行为理应成为别人学习的榜样。"

### 思考讨论

任何时候开始学习都不会晚，只要努力，就会有进步。请你说说表示学习进步很快的其他成语。

**白雪阳春[1]，是难和难赓之韵[2]；青钱万选[3]，乃屡试屡中之文。惊神泣鬼[4]，皆言词赋之雄豪；**

**遏云绕梁[5]，原是歌音之嘹亮。**

## 注释

[1] 白雪阳春：古代楚国的歌曲名。属于高雅的音乐。后用以比喻高深的文艺作品。　[2] 难和难赓（gēng）：难以唱和，难以续作。赓，继续、连续。　[3] 青钱万选：比喻文才出众，就好像青铜钱，万选万中。青钱，青铜钱，古代铜钱中的上品。唐代张鹜在参加吏部铨试时，四次都获得了吏部的第一名，有人称他的文辞就像青铜钱，万选万中。　[4] 惊神泣鬼：形容震动很大，十分感人。杜甫曾称赞李白："笔落惊风雨，诗成泣鬼神。"[5] 遏云绕梁：歌声优美，使游动的浮云为之停下来静听，其余音绕着屋梁，不愿散去。遏，停止。

## 译文

"白雪阳春"，是形容难以唱和、难以接续的高雅之曲；"青钱万选"，是形容屡试屡中的奇妙文章。"惊神"、"泣鬼"，都是形容诗文辞赋雄浑豪放的气势；"遏云"、"绕梁"，本来都是比喻优美高亢的歌声。

## 延伸阅读

### 绕梁三日

战国时期，秦国人薛谭向当时著名的歌唱家秦青学习唱歌。一段时间以后，薛谭自以为已经把秦青的技巧都掌握了，就向秦青告辞回家，秦青没有阻拦。

第二天，秦青在郊外的大路上摆设酒食为薛谭饯行。秦青说：

“如今你要走了，我再为你唱一支歌吧。”于是，他打着节拍，唱起离别的悲歌。富有感染力的声音让周围的树木沙沙作响，让天上的行云停止了流动。一时间，天地间似乎只剩下秦青的歌声回荡。

没等秦青一曲唱完，薛谭早已跪在地上，他向秦青道歉，请求继续跟着秦青学习唱歌。从此以后，薛谭再也没说过要告辞回家的话。

有一天，秦青对他的朋友说：“从前韩国有位女子叫韩娥，要到东方的齐国去。到达雍门的时候，她的口粮吃完了。于是她倚门而歌，声音婉转悠扬，动人心魂。雍门的人们送她许多盘缠。她离去之后，歌声的余绪仍然回旋缭绕在房梁之间，一连三天都还听得到。

“后来，贫困的韩娥投宿一家旅店，遭到了旅店老板的侮辱。韩娥伤心透了，放声悲歌后离开。声音是那么悲凉，使得整个里弄的老小都垂泪相对，三天都不吃饭。旅店老板只好又把韩娥请回来，央求她唱一首欢乐愉快的歌曲。

“韩娥回来以后，唱起了婉转曼妙的歌曲。整个里弄的老小全忘了悲伤，情不自禁地手舞足蹈起来。而雍门那带的人，至今还擅长唱歌表演，都是效仿韩娥的歌唱技艺啊。”

### 思考讨论

薛谭学歌的故事告诉我们什么道理？

**开卷有益[1]，宋太宗之要语[2]；不学无术[3]，汉霍光之为人[4]。汉刘向校书于天禄[5]，太乙燃藜[6]；赵匡胤代位于后周[7]，陶谷出诏[8]。**

## 注释

[1] 开卷有益：读书就有好处。 [2] 宋太宗：即赵炅，北宋皇帝，太祖赵匡胤之弟，原名匡义，后改名光义，继位后改名赵炅。[3] 不学无术：原指汉代霍光不能学古，所以行为不符合道德标准。后泛指没有学问，没有本领。 [4] 霍光：西汉大臣，大将霍去病同父异母弟。 [5] 刘向：西汉经学家、目录学家、文学家。[6] 太乙燃藜（lí）：传说西汉末年，刘向校书于天禄阁。晚上，有位穿着黄衣服、拄着青藜杖的老人敲门。刘向当时独自坐在黑暗中背书，老人拿起拐杖，将一端吹燃，照亮了刘向，向他传授五行洪范之文。这个老人自称是天神中最珍贵的太乙神。后用"燃藜"指夜读或勤学。藜，一种草本植物。 [7] 赵匡胤：即宋太祖，宋朝的建立者。后周世宗柴荣时任殿前都点检，领宋州归德军节度使，掌握兵权。柴荣死后，趁周恭帝年幼，于 960 年发动陈桥兵变，黄袍加身。 [8] 陶谷出诏：赵匡胤发动兵变，陶谷暗中写好禅让诏书，帮助他做皇帝。

## 译文

"开卷有益"，这是宋太宗赵炅的名言；"不学无术"，这是指西汉霍光的为人。西汉刘向在天禄阁校书时，自称"太乙神"的老者扣阁而进，吹燃藜杖的一端为他照明；赵匡胤发动陈桥兵变想要取代后周柴氏做皇帝，后周翰林陶谷为他献出暗中写好的禅让诏书。

## 延伸阅读

### 开卷有益

宋朝初年，宋太宗命文臣李昉等人编写了一部规模宏大的分类百科全书，书的名字叫《太平总类》。

这本书共有一千卷，收集摘录了一千六百多种古籍中的重要内容，分类归成五十五门，是一部很有价值的参考书。由于这部书是专门供皇帝御览的，后来又更名为《太平御览》。

对于这么一部巨著，宋太宗规定自己每天看三卷，一年内全部看完。当宋太宗下定决心、花费精力去翻阅这部巨著时，有些大臣觉得皇帝要处理那么多国家大事，还要翻阅这么一部巨著，实在是太辛苦了，于是就劝告宋太宗少看些，也不一定每天都要看，要不然，会过度劳神的。

宋太宗却回答说："开卷有益，朕不以为劳。"意思是说，只要打开书本，就会有好处的，我并不觉得过度劳神。他仍然坚持每天看三卷。有时候，因为处理国家大事而耽搁掉了，他也要抽空补上。

由于每天阅读三卷《太平御览》，宋太宗的学问很快变得十分渊博，处理国家大事也得心应手。当时的大臣们见皇帝如此勤奋读书，也纷纷仿效。一时间读书的风气很盛，连平时不读书的宰相赵普，也孜孜不倦地阅读起来了。

### 思考讨论

宋代是文化十分繁荣的朝代，编纂了许多大型书籍。请查阅资料，找出宋代编纂的四大类书是哪几部。

## 科第

**士人入学曰游泮[1]，又曰采芹[2]；士人登科曰释褐[3]，又曰得隽[4]。宾兴即大比之年[5]，贤书乃试录之号[6]。**

### 注释

[1]入学：明清童生经考试录取后，入府、州、县学读书，称为“入学”或“进学”。入学后即归教官管教并参加考试。游泮(pàn)：明清时，儒生经考试录取入府、州、县学为生员，谓之“游泮”。春秋战国时期，诸侯兴建的学校叫泮宫，泮指学宫前的水池子。[2]采芹：古时学宫有水池子，入学则可采水中之芹以为菜，故称入学为“采芹”。后亦指考中秀才。　[3]登科：科举时代考中进士称为“登科”，也称“登第”。唐制，举子放榜，只称“及第”。由吏部复试，获中选官，才称“登科”。唐以后凡应试得中即称“登科”。释褐：科举时代称新进士及第授官为“释褐”，即脱去平民百姓穿的布衣而换上官服。　[4]得隽：同“得儁(jùn)”，应试得中。[5]宾兴：周代的选举法，从小学选举贤能，用宾礼相待，升入国学。科举时代，地方官设宴招待应举之士，称为“宾兴”。后来就称乡试为“宾兴”。大比之年：周代每三年调查一次人口，对属民考核道德、荐举贤能，称为“大比”。明清两代乡试每三年举行一次，各县、府、州的应试者齐集省城，由朝廷派官主考，也为“大比”。[6]贤书：本指举荐贤能的文书。后世称乡试考中为“登贤书”。试录：明清时，将乡试、会试中的举子姓名、籍贯、名次及优等的文章，刊刻进呈，称为“试录”。

## 译文

读书人考入府、州、县学读书，叫“游泮”，又称“采芹”；读书人应试得中叫“释褐”，又叫“得隽”。“宾兴”就是三年一次考取举人的乡试，即大比之年；“贤书”就是登记考中举子的花名册。

## 延伸阅读

### 科举三元

科举制度是中国历史上一种十分重要的选官方式。它创始于隋而确立于唐，完备于宋，延续至元、明、清，前后经历了一千三百年之久。

在科举制度中，“三元”即解（jiè）元、会元、状元的合称，三者分别指明清时代乡试、会试、殿试的第一名。明代也以殿试的前三名为“三元”，即状元、榜眼、探花。

明清时代，科举考试分为四级，即院试（县、府试）、乡试（省试）、会试（京试）和殿试（廷试）。

院试在县、府举行，童生可以参加院试，考取的称为“生员”、“相公”或“秀才”。生员第一名叫“案首”。

乡试一般每三年在各省省城举行一次，又称“大比”。因在秋

进士匾

季举行，也称“秋闱”。只有生员才有资格参加乡试，考中的称“举人”。举人的第一名称为“解元”。

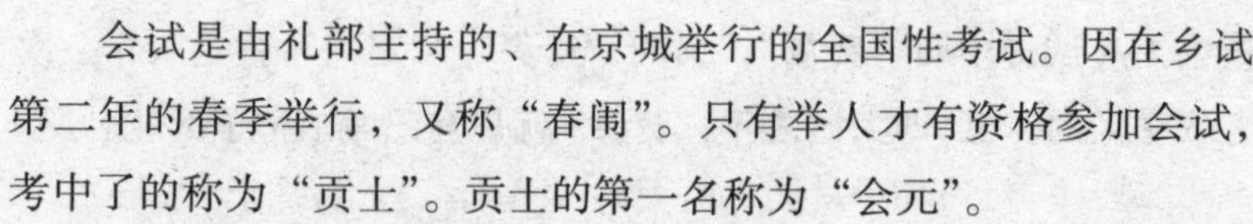

会试是由礼部主持的、在京城举行的全国性考试。因在乡试第二年的春季举行，又称“春闱”。只有举人才有资格参加会试，考中了的称为“贡士”。贡士的第一名称为“会元”。

殿试是最高级的考试，在会试放榜后几天举行，只有贡士才有资格参加。由于殿试由皇帝亲自主持，所以录取的称为“天子门生”。参加殿试的贡士，考中了的称为进士。进士的第一名称为“状元”，第二名称为“榜眼”，第三名称为“探花”，合称“三鼎甲”。



## 思考讨论

请查阅资料，说说明清科举考试要考哪些科目。

**其家初中，谓之破天荒[1]；士人超拔[2]，谓之出头地[3]。中状元，曰独占鳌头[4]；中解元[5]，曰名魁虎榜[6]。**

## 注释

[1] 破天荒：指前所未有的第一次出现。　[2] 超拔：出色，超群。　[3] 出头地：宋代苏轼的文章得到了欧阳修的赏识，欧阳修对梅圣俞说：“我应该给这个人让出一块出头的地方。”后来，演化为成语“出人头地”，比喻高人一等。　[4] 独占鳌（áo）头：唐宋时期，皇宫大殿前有一块刻着龙和大龟的石板。科举进士发榜时，规定状元站的位置，正好是飞龙巨鳌浮雕的头部。因此称状元

为“独占鳌头”。后也指在竞赛中获得第一名。　[5]解元：科举制度中，乡试第一名称为“解元”。唐制，举进士者均由地方解送入京，后世相沿，乃有此名。　[6]名魁（kuí）虎榜：名字在龙虎榜上占首位。魁，居首位。龙虎榜，简称虎榜，本来指的是进士榜。解元是乡试第一名，再于第二年春天参加会试、殿试，这是预祝人考中进士的恭维说法。

## 译文

某家第一次有人考中进士，称为“破天荒”；读书人学识超群，叫做“出头地”。中了状元，即殿试考中一甲第一名，称为“独占鳌头”；中了解元，即乡试考中第一名，就恭维说“名魁虎榜”。



## 延伸阅读

### 破天荒

中国古代的科举考试是逐级选拔的，凡是考进士的人，都由地方选送本地区考中举人的人进京赴试。唐朝年间，荆南地区的人参加京城会试，四五十年之间，竟然没有一个考中进士。于是，人们称荆南地区为“天荒”，把那里解送的考生称作“天荒解”。

“天荒”，本指混沌未开的原始状态，比如盘古开天地之前的状态。这里的“天荒”，是形容荒蛮落后的地区。把荆南地区称作“天荒”，是讥笑那里几十年没有一个人能上榜提名。

唐宣宗大中四年（850），荆南应试的考生中终于有个叫刘锐的考中进士了，总算破了“天荒”。当时，魏国公崔弦镇守荆南一代，得知刘锐考中进士，便写信表示祝贺，并赠他七十万“破天荒”钱。刘锐不肯接受崔弦所赠之钱，在给崔弦的回信中，他写道：“五十年来，自是人废；一千里外，岂曰天荒。”

后来就常用“破天荒”来表示突然得志扬名。现在用来指从未有过或第一次出现的新鲜事。

## 思考讨论

说说你在学习生活中做过哪些“破天荒”的事情。

**琼林赐宴[1]，宋太宗之伊始[2]；临轩问策[3]，宋神宗之开端。同榜之人，皆是同年[4]；取中之官，谓之座主[5]。应试见遗[6]，谓之龙门点额[7]；进士及第，谓之雁塔题名[8]。**

## 注释

[1]琼林赐宴：皇帝赐新科进士的宴会。　[2]伊始：开端，开始。　[3]临轩问策：皇帝不坐正殿而亲临殿前平台，用策问考试贡士。殿的前堂和台阶之间，两边有栏杆，如车之轩，故称“轩”。问策，考试内容以策议而不用诗赋。　[4]同年：科举制度中同科考中的人称为“同年”。唐代以同时考中进士为“同年”；明清两代，乡试、会试同时考中的人都称“同年”。　[5]座主：唐代进士称主考官为“座主”。　[6]见：被。　[7]龙门点额：传说鲤鱼三月份游到龙门，跳跃过去的变成龙，跳不过去的额头会结一个黑疤而返回。后比喻仕途失意或科场落第。　[8]雁塔题名：唐代科举考中的新进士在曲江宴会之后，常题名于慈恩寺内的雁塔。后用为考中进士的代称。

## 译文

皇帝在琼林苑赐宴新科进士，这是自宋太宗时开始的；皇帝亲临殿前平台，用策议考问贡士，这是由宋神宗时开端的。同在一榜被录取的人，相互称为“同年”；主持考试的官员，考中的读书人都称他为“座主”。应试没有考中，就像鲤鱼越不过龙门，称为“龙门点额”；进士登金榜，常题姓名于雁塔，称为“雁塔题名”。

## 延伸阅读

### 科举四宴

科举考试是中国古代社会选拔官吏的一种最为重要的制度。为了笼络天下士人通过科举考试踏上仕途，官方往往会组织顺利考中的士子参加庆祝宴会，以示恩典，这就是我国古代著名的科举四宴。

科举四宴分别为鹿鸣宴、琼林宴、鹰扬宴、会武宴。其中鹿鸣宴、琼林宴为文科宴，鹰扬宴、会武宴为武科宴。

鹿鸣宴是文科乡试放榜后，由州县主持的为新科举子而设的宴会，始于唐代。由于在这个宴会上要唱《诗经·小雅·鹿鸣》的诗，所以取名为“鹿鸣宴”，表示祝贺。鹿鸣宴的举办一直延续到清朝。

琼林宴是为新科进士举行的宴会，始于宋代。宋太宗时，开始在皇家园林琼林苑赐宴给新科进士，因此就有了“琼林宴”的说法。宋徽宗政和二年（1112）以后，改称“闻喜宴”。元、明、清三代，又称“恩荣宴”。

鹰扬宴是武科乡试放榜后，考官及考中武举人者共同参加的宴会。所谓鹰扬，是取“威武如鹰之飞扬”，意思是像飞扬的雄鹰一样威武。

武科殿试放榜后都要在兵部为武科新进士举行宴会，以示庆贺，名曰“会武宴”。这种宴会始于唐代，一直延续到清朝，规模排场浩大，盛况空前。

在封建时代，学子们不仅把这些宴会当做殊荣，更当做学术地位的一种标志。尽管参加宴会的仅仅是少数人，但对于大多士子仍然具有极大的吸引力。

## 思考讨论

当你取得好成绩时，你的父母如何奖励你？当你考得不好时，你的父母又会怎么对待？



**金殿唱名曰传胪[1]，乡会放榜曰撤棘[2]。攀仙桂[3]，步青云[4]，皆言荣发[5]；孙山外[6]，红勒帛[7]，总是无名。**

## 注释

[1]金殿唱名：皇帝在金銮殿上宣读登第进士的名次。传胪：指科举制度中，殿试以后由皇帝宣布登第进士名次的典礼。明代也称会试二三甲第一名为“传胪”，清代专称二甲第一名为“传胪”。古代，上传语告下称为“胪”，传胪即唱名之意。 [2]撤棘：科举考试工作结束。因放榜后关闭贡院，并撤去试院围墙上的荆棘，所以称为“撤棘”。 [3]攀仙桂：神话传说中月亮上有棵桂树，后因以“攀桂树”、“攀桂”、“折桂”指科举登第。

[4]青云：原指高官厚禄，后指科举中试。 [5]荣发：形容飞黄腾达。 [6]孙山外：也作“名落孙山”，称考试不中。

[7] 红勒帛：原指红帛制的裤腰带。据说宋代刘几作文喜欢用险怪的语言，令欧阳修非常厌恶。后来刘几应试，正赶上欧阳修当考官。他看到卷子有段话很怪，觉得肯定是刘几的卷子，就用红笔在试卷上打了一个大横杠，全部抹掉，判为不合格，称为“红勒帛”。名单公布，果然是刘几。后来就用“红勒帛”比喻用红笔涂抹文章，简称“红勒”。

## 译文

皇帝在金銮殿上宣读登第进士的名次，称为“传胪”；乡试、会试时发榜公布结果，叫做“撤棘”。“攀仙桂”、“步青云”，说的都是人因科举高中而荣耀发达；“孙山外”、“红勒帛”，说的是人科举落第而榜上无名。

## 延伸阅读

### 名落孙山

“名落孙山”是我们耳熟能详的一个词语，常常用来比喻投考没中，或选拔时没被录取。它来源于历史上的一个真实故事。

在宋代的吴地，即今天的江苏苏州一带，有一位名叫孙山的读书人，他为人非常幽默有趣。有一次，孙山离开家乡，去别的州县参加解试。同乡的一位先生得知了这个消息，就将自己的儿子托付给他，让他一同带往参加解试。解试，明清时期也称乡试，是古代科举考试的第一级，考中者称为举人，拥有做官的资格，举人中第一名称为解元。

等到考试结束，贡院放榜，孙山同乡人的儿子没能考取举人，他非常失意，在考试地迟滞逗留。孙山考得也不好，是举人榜上

的最后一名，但总算是考取了举人。于是他告别了同乡的儿子，先回到家。

孙山刚一到家，同乡的那位先生便来拜访，向他询问自己儿子的考试情况。孙山感到非常为难，这件事他既不方便直说，也不能够隐瞒。于是，他随口念起了两句打油诗："解名尽处是孙山，贤郎更在孙山外。"意思是说，我孙山是举人中的最后一名，您的儿子还在我之外。这样，乡人既能够知道他的意思，又拉近了孙山和同乡儿子的差距，使同乡不至于打击太大。

这件事情被记载在南宋人撰写的一本集子中保留了下来。在宋以后的科举时代，"名落孙山"就与"落第"、"榜上无名"等一起，成为科举未能及第的代名词，与代表成功的"金榜题名"、"独占鳌头"等词形成鲜明对比,共同形成了中国独特的科举词语体系。虽然今天科举考试已经被时代所遗弃，但与竞争相关的含义，一直沿用至今。

### 思考讨论

只要有成功，就会有失败。请你回忆下考试中遭受的失败，说说你是怎样面对的。

**赚了英雄[1]，慰人下第；傍人门户[2]，怜士无依。虽然，有志者事竟成[3]，伫看荣华之日[4]；成丹者火候到[5]，何惜烹炼之功[6]。**

## 注释

[1]赚了英雄：为科举考试而奔波忙碌的人是受了皇帝的骗。唐代进士科最被看重，因此很多人老死在考场上，当时有诗称："太宗皇帝真长策，赚得英雄尽白头。" [2]傍人门户：投靠权贵，不能自立。 [3]有志者事竟成：有志气的人，最后一定会成功。竟，终于。 [4]伫看：即将看到。 [5]成丹者火候到：炼丹成功一定要到火候。成丹，道家将朱砂等药物配好放入鼎内，用火炼成丹药。火候，道家炼丹时对火力强弱、时间长短的控制。[6]烹炼：冶炼。



## 译文

"赚了英雄"，这是对落榜人的安慰之语；"傍人门户"，这是对读书人无依无靠的怜惜之词。即使这样，胸怀大志的人事业一定会取得成功，一定能看到他荣华富贵的那一天；炼成金丹一定要到火候，所以千万不要吝惜冶炼的工夫。

## 延伸阅读

### 有志者事竟成

耿弇（yǎn），字伯昭，是东汉初年有名的将领。他勇猛善战，用兵灵活，是中国战争史上卓越的军事天才。

东汉初年,刘秀便派耿弇攻打张步。张步知道耿弇将率兵前来，就在多处布置军队，准备迎击。他自己集中兵力驻守临淄，弟弟张蓝率精兵二万驻守西安（今山东淄博东北），互为犄角。耿弇领兵进驻临淄、西安之间的画中（淄博西南）。

接着，耿弇运用“声东击西”之计，对外放出消息要攻打西安。张蓝得知消息后，日夜加强戒备。这时候，耿弇半夜将军队迅速调往临淄。果然，张步被耿弇出其不意的一路猛击，不到半天时间临淄就被攻破。张蓝知道临淄失守，吓得弃西安城逃跑。

张步被打败后，又集结二十万大军，想进行反攻，趁势收复临淄，自以为兵马众多，胜券在握。耿弇一方面派遣部队把张步引到临淄，另一方面则趁张步与驻军激战时，自己率领一批精锐勇士去突袭张步阵营。交战中，耿弇不顾大腿被箭射伤，仍然奋战不懈，最后取得胜利。



几天后，光武帝来临淄慰劳军队。他对耿弇说：“耿将军以前在南阳就献策要攻齐，以灭张步，但我一直认为这是非常困难的事，没想到耿将军如今竟达到目标了，真是‘有志者事竟成’啊！”后来，耿弇继续追击，终于迫使张步率领十万多人投降。

### 思考讨论

看到“有志者事竟成”这个词语，你会想到谁？为什么？

## 鸟　兽

**狐假虎威[1]，谓借势而为恶；养虎贻患[2]，谓留祸之在身。犹豫多疑[3]，喻人之不决[4]；狼狈相倚[5]，比人之颠连[6]。**

## 注释

[1]狐假虎威：狐狸假借老虎的威势，比喻依仗别人的权势来欺压人的人。假，借助。　[2]养虎贻患：也作“养虎遗患”，留着老虎不除掉，就会成为后患。比喻纵容坏人坏事，自留后患。[3]犹豫多疑：指遇事瞻前顾后，拿不定主意。　[4]不决：下不了决断。　[5]狼狈：传说狼和狈是同类野兽。狈前腿极短，行走时常常将脚搭在两只狼的背上，没有狼，就无法行走。狼前腿长，后腿短，没有狈就无法站立。后用“狼狈”比喻相互勾结干坏事，也用来形容处境困难、生活无依的样子。　[6]颠连：困顿、困苦。



## 译文

“狐假虎威”，说的是凭借别人的权势而为非作歹；“养虎贻患”，说的是纵容敌人，而给自己留下祸患。“犹豫多疑”，比喻人处理事情迟疑不果断；“狼狈相倚”，比喻人行动艰难，没有依靠。

## 延伸阅读

### 狐假虎威

一只饥肠辘辘的老虎在森林里四处寻找猎物。这时，迎面走来一只狐狸。老虎一个箭步蹿上前去，将狐狸死死压在掌下，准备好好享用这顿美味。

正当老虎张大嘴巴时，狐狸忽然开口说话了：“好大胆的老虎啊，你居然敢吃我！我是天帝刚任命的百兽之王。你吃我，等于违抗天帝的旨意，是要遭天谴的！”

这番危言耸听，令一旁的老虎忍不住哈哈大笑起来：“什么？

百兽之王？就凭你吗？”说完，摩拳擦掌，准备撕咬了。

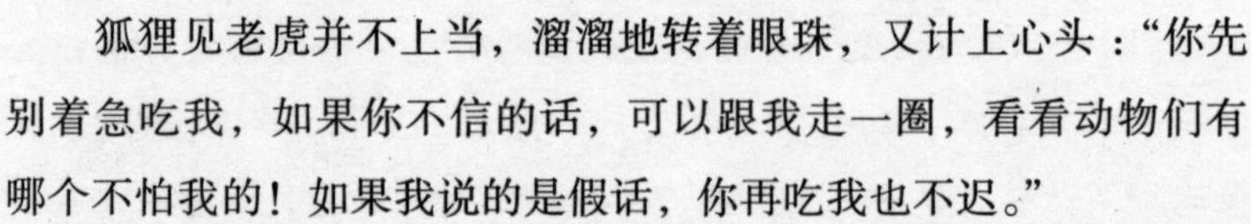

狐狸见老虎并不上当，溜溜地转着眼珠，又计上心头：“你先别着急吃我，如果你不信的话，可以跟我走一圈，看看动物们有哪个不怕我的！如果我说的是假话，你再吃我也不迟。”

老虎见狐狸说得头头是道，不免也疑惑起来：“那好吧，就按你说的办。”



于是，狐狸大摇大摆地阔步向前，老虎则紧随其后，行走在路上。见了老虎，兔子吓得连忙钻进草丛，梅花鹿拔腿就跑，树上的猴子不安地发出警报。就连平时狂妄嚣张的狼，也跑得无踪无影。所到之处，动物们纷纷逃散。

看到这种情景，老虎开始紧张起来，它想：看来狐狸说的是真的，所有的动物都怕它。这回我算是惹祸了！三十六计走为上计，我还是开溜为妙。于是它趁狐狸不注意，悄无声息地溜走了。

就这样，聪明的狐狸凭借自己的勇气和智慧，躲过了这一劫。

### 思考讨论

狐狸为什么要借助老虎的威风？它的目的是为了什么？我们应该同情谁？

**刻鹄类鹜[1]，为学初成[2]；画虎类犬[3]，弄巧反拙[4]。美恶不称[5]，谓之狗尾续貂[6]；贪图不足，谓之蛇欲吞象[7]。**

## 注释

[1] 刻鹄（hú）类鹜：画天鹅不成，仍有些像野鸭子。比喻模仿得虽然不逼真，但还有些相似。刻，刻画。鹄，天鹅。鹜，野鸭子。[2] 初成：初见成效。 [3] 画虎类犬：画老虎不成，却像狗。比喻模仿不到家，反而不伦不类。类，像。 [4] 弄巧反拙：本想要弄聪明，结果做了蠢事。同“弄巧成拙”。 [5] 不称：不相称，不相符。 [6] 狗尾续貂：貂尾不够，就用狗尾来补充。原讽刺所封官爵太滥，后泛指把不好的东西接到好的东西后，前后不相称，多指文艺作品。貂，指古代皇帝侍从官员用作帽饰的貂尾。[7] 蛇欲吞象：传说南海有一种蛇，长八百丈，能够吞下大象。比喻贪得无厌。

## 译文

“刻鹄类鹜”，说的是学习刚刚开始；“画虎类犬”，是指本想要聪明，结果反而出丑。美恶不相称，称为“狗尾续貂”；贪得无厌，叫做“蛇欲吞象”。

## 延伸阅读

### 狗尾续貂

晋武帝司马炎建立了统一王朝之后，把家族子弟分封各地为王，企图巩固统治。结果事与愿违，到了晋惠帝时，诸侯王之间相互争权夺利，造成了严重的内乱，史称“八王之乱”。

八王之中，有一个诸侯王叫司马伦，他是个才能平庸却野心勃勃的人。晋武帝在位时，封司马伦为赵王。武帝去世后，晋惠帝司马衷即位。惠帝对朝政一窍不通，大权旁落到贾后手中。贾

后生性凶狠狡诈，与司马伦有深交。司马伦先利用贾后，废掉了太子；接着又借贾后废太子之名，发动政变，杀死贾后，然后自封为相国。为了笼络朝廷大臣，扩大自己的势力，司马伦大封文武百官。等到一切就绪后，司马伦又废掉晋惠帝，自称皇帝。

司马伦当上皇帝后，又开始胡乱封官，让他自己的亲戚朋友，甚至是家里的仆役，都当上了大官或者近侍官员。当时的近侍官员都使用珍贵的貂尾作为帽子的装饰。可是司马伦封的官员实在是太多了，找不到那么多的貂尾，只好用相似的狗尾来代替。而这些官员既没有真才实学，又不为人民做事，只知道欺压百姓，胡作非为。所以当时的人编了个谚语“貂不足，狗尾续”，用来讽刺这种现象。这就是“狗尾续貂”的来历。

## 思考讨论

狗这种动物，在古代总是用作贬义，请说说关于狗的其他成语。

**祸去祸又至，曰前门拒虎，后门进狼[1]；除凶不畏凶，曰不入虎穴，焉得虎子[2]。鄙众趋利[3]，曰群蚁附膻[4]；谦己爱儿，曰老牛舐犊[5]。**

## 注释

[1] 前门拒虎，后门进狼：前门赶走了老虎，后门又进来了狼。比喻消灭一个祸患，又招来一个祸患。 [2] 不入虎穴，焉得虎子：不进老虎窝，怎能捉到小老虎。比喻不冒危险，就不能成事。也用来比喻不经历最艰苦的实践，就不能取得重大的成就。[3] 趋利：追逐利益。 [4] 群蚁附膻（shān）：许多蚂蚁趋附羊肉。

比喻追逐名利，竞相驱往。附，依附。膻，羊肉的气味。［5］老牛舐（shì）犊（dú）：老牛舔小牛，比喻爱子情深。舐，用舌头舔东西。犊，小牛。

## 译文

消除一个祸害却又招来一个祸害，称为“前门拒虎，后门进狼”；为了铲除凶恶势力就不能畏惧它，叫做“不入虎穴，焉得虎子”。鄙视小人追逐利益，就说“群蚁附膻”；谦称自己疼爱儿子，就说“老牛舐犊”。



## 延伸阅读

### 不入虎穴，焉得虎子

东平十六年，奉车都尉窦固出击匈奴，班超被任命为假司马，随军出征。在作战过程中，班超杀敌无数，深受窦固的重视。不久，便与从事郭恂一起，被派往出使西域。

班超一行到了鄯善，受到了鄯善国王的隆重而恭敬的接待，但不久，鄯善国王的态度又突然变得怠慢起来。班超对他的随从说：“你们察觉到鄯善国王的态度变得淡漠了吗？一定是有匈奴使者来到这里，才使他如此犹豫不决，不知所措。明智的人能够预见未发生的事，更别提现在这种显而易见的事了。”

为了证实自己的猜测，班超叫来一个侍从，对他说：“匈奴的使者都来了几天了，现在住在哪里啊？”侍从听了之后，大惊失色，就将实情全都说了出来。班超关押了这个侍从，便将出使西域的三十六名官兵全部召集一起喝酒。喝到痛快的时候，班超顺势鼓动众人说：“你们和我同处边塞异域，本是想立下大功，以

此来追求荣华富贵。现在匈奴使者刚到鄯善国没几天，鄯善王就一改原先的恭敬态度。假如鄯善王将我们绑送到匈奴手中，我们不就像送入豺狼嘴中的食物有去无回吗？你们认为该怎么办才好啊！”官兵们都说：“我们现在处于生死关头，一切全听您的调遣。”班超说：“不入虎穴，焉得虎子。现在的办法，只有趁晚上火攻匈奴使者。他们不知道我们有多少人，一定会感到很害怕，我们正好可以趁机消灭他们。消灭了他们，鄯善王就会吓破胆，那我们就大功告成了。”官兵们说：“这件事应该与从事郭恂再商议一下。”班超说：“是吉是凶就取决于今晚的行动了。从事是个平庸的文官，听到这个计谋，一定害怕而走漏风声的。白白送死，留不下名声，不是壮士所为。”大家都说：“好。”

晚上，班超率领官兵奔赴匈奴使节的营地。天正好刮起了大风，班超叫十人拿着大鼓，藏在敌营之后，约定说：“一见大火燃起，你们敲鼓呐喊。”其他人则手持兵器弓箭，埋伏在敌营出入的门口。于是，班超亲自点燃敌营的大火，前后左右的人一起敲鼓呐喊。匈奴人惊慌失措，班超亲手杀了三人，其他官兵杀了匈奴使者和随从三十多人，还有一百多名匈奴人则全被烧死。第二天，班超招来鄯善王，将匈奴人的首级给他看，鄯善国全国震惊，向汉称臣。

这就是“不入虎穴，焉得虎子”成语的由来。

### 思考讨论

上述故事告诉我们什么道理？假如你是班超，你会怎么解决这个问题？

**无中生有，曰画蛇添足[1]；进退两难，曰羝羊触藩[2]。杯中蛇影[3]，自起猜疑；塞翁失马[4]，难分祸福。**

## 注释

[1]画蛇添足:画蛇时给蛇添上脚。比喻做多余的事,非但无益,反而不恰当。也比喻虚构事实,无中生有。 [2]羝(dī)羊触藩:公羊同篱笆抵撞,把角缠在上面,进退不得。比喻进退两难。羝羊,公羊。藩,篱笆。 [3]杯中蛇影:误把映入酒杯中的弓影当做蛇。比喻因疑神疑鬼而引起恐惧。同"杯弓蛇影"。 [4]塞翁失马:比喻一时虽然受到损失，也许反而能因此得到好处。也指坏事在一定条件下可以变为好事。塞，边塞。翁，老头。

## 译文

无中生有,称为"画蛇添足";进退两难,叫做"羝羊触藩"。"杯中蛇影",形容人自生猜疑;"塞翁失马",说明祸福可以相互转化。

## 延伸阅读

### 塞翁失马

战国时期，靠近边境的地方住着一位老人。他善于占卜，拥有预知未来吉凶的非凡智慧。

有一次，老人的一匹马无缘无故地越过边境，跑入了胡人居住的地方。邻居们听说此事，怕老人伤心，纷纷过来安慰他。谁知老人不但没有伤心，反而轻描淡写地说道："又有什么关系呢，

这怎么见得不是一件好事呢？”邻居们以为老人只是在说胡话，并没有在意。

过了几个月，老人的马从胡地归来，还带回了胡人的一匹骏马。邻居们见此，又纷纷前来祝贺，并称赞老人料事如神。可是，老人并没有露出高兴的神情，他皱了皱眉头，担忧地说道：“又有什么值得庆贺的呢？这怎么见得不是一件坏事呢？”邻居们心想，这老人大概是高兴坏了吧。

老人的独子，非常爱骑马。有一次，他骑着胡地来的良马出游，一不小心，从马背上跌落下来，摔得大腿骨折。邻居们再一次来看望老人，对他说：“事已至此，请您不要难过，放宽心吧。”老人却好像什么都没发生似的，对大家说道：“又有什么好难过的呢？这怎么见得不是件好事呢？”这时候，邻居纷纷为老人的未来生活担心，已经无心听他的这番预言了。

一年以后，胡人大举入侵。他们越过边境，大肆掠夺。边境一带所有壮年男子都响应征召，纷纷背起弓箭出战。他们和胡人发生了激烈的交锋，死伤惨重，绝大多数人因此丧生。边境一带，尸骨遍野，十室九空。唯独老人的儿子，因为腿瘸的缘故免于征战，父子俩得以保全性命。

### 思考讨论

事物相互依存，福祸相互转化。请同学们想想生活中遇到的事情，有没有类似的经历。

**爱屋及乌[1]，谓因此而惜彼；轻鸡爱鹜[2]，谓舍此而图他。哙恶为非[3]，曰教猱升木[4]；受恩不报，曰得鱼忘筌[5]。**

## 注释

[1]爱屋及乌：因为爱一个人而连带爱他屋上的乌鸦。比喻爱一个人而连带地关心到与他有关的人或物。 [2]轻鸡爱鹜：轻视家鸡而爱野鸭子。比喻贵远贱近，舍此而求彼。 [3]唆恶为非：教唆坏人做坏事。 [4]教猱（náo）升木：教猴子爬树。教，传授知识技能。猱，猴子的一种。 [5]得鱼忘筌（quán）：捕到了鱼之后，忘掉了筌。比喻事情成功以后，就忘了赖以成功的事物和条件。筌，捕鱼用的竹器。



## 译文

"爱屋及乌"，是说因为喜欢此物而怜惜与之有关的彼物；"轻鸡爱鹜"，是说舍弃近的而去追求远的东西。唆使恶人为非作歹，称为"教猱升木"；受到别人的恩惠而不报答，叫做"得鱼忘筌"。

## 延伸阅读

### 爱屋及乌

西周初年，周武王在军师姜太公及弟弟周公、召公的辅佐下，联合诸侯，出兵讨伐商纣王，纣王兵败自杀。

纣王死后，武王心中并不安宁，他召见姜太公，问道："进了殷都，对旧王朝的士众应该怎么处置呢？"

"我听说过这样的话：如果喜爱那个人，就连同他屋上的乌鸦也喜爱；如果不喜欢那个人，就连带厌恶他家的墙壁篱笆。这意思很明白：杀尽全部敌对分子，一个也不留下。大王你看怎么样？"太公说。武王摇摇头，认为不能这样。

这时召公说道："我听说过有罪的，要杀；无罪的，让他们活。

应当把有罪的人都杀死，不让他们留下残余力量。大王你看怎么样？”武王认为也不行。

最后，周公上前说道：“我看应当让各人都回到自己的家里，各自耕种自己的田地。君王不偏爱自己旧时的朋友和亲属，用仁政来感化普天下的人。”

武王听了非常高兴，心中豁然开朗。他就照周公说的办，天下果然很快安定下来。民心归附，西周也更强大了。

这就是“爱屋及乌”的出典。古人大多厌恶乌鸦，而很少有喜爱它的。因为人们相信乌鸦是一种不祥之鸟，会带来不幸。而“爱屋及乌”，由于爱那个人，连他家屋上的乌鸦都不以为不祥，甚至也喜爱，可见对人的爱之深切。这个成语后来被人们用作爱的比喻，广为流传。

### 思考讨论

俗话说“仁者无敌”，请思考周武王为什么会采纳周公的办法。

## 花　木

莲乃花中君子[1]，海棠花内神仙[2]。国色天香[3]，乃牡丹之富贵；冰肌玉骨[4]，乃梅萼之清奇[5]。兰为王者之香[6]，菊同隐逸之士[7]。竹称君子[8]，松号大夫[9]。

## 注释

[1]花中君子:莲花品格高洁,“出淤泥而不染,濯清涟而不妖”,被称为“花中君子”。　[2]花内神仙：海棠花色艳丽而不妖冶,没有香气,被称为“花内神仙”。　[3]国色天香：形容牡丹的香色可贵,不同于一般花卉。后亦用来形容女子的容貌美丽。[4]冰肌玉骨：形容梅花不畏严寒,傲然绽放。　[5]梅萼：梅花的蓓蕾。萼,花瓣下部的一圈叶状绿色小片。　[6]兰为王者之香:王者香,指兰花。据说孔子见幽谷之中只有香兰茂盛,叹息说:“兰当为王者香,今乃与众草伍。”　[7]菊同隐逸之士:隐逸之士,即隐士,指隐居不仕的人。菊花在百花凋零后的九月绽放,所以周敦颐称之为“花之隐逸者”。　[8]竹称君子：王阳明说,竹具有君子的四种美德,根牢、身直、心空、有节,所以被称为“君子”。　[9]松号大夫：相传秦始皇上泰山封禅的时候,下起了暴雨,于是在一棵松树下避雨休息,后来封这棵松树为“五大夫”。五大夫为爵位,秦汉时二十等爵的第九级。

## 译文

莲花有“花中君子”的美誉,海棠花有“花内神仙”的称号。“国色天香”,是形容牡丹的富贵气派;“冰肌玉骨”,是形容梅花的清秀俊奇。兰有“王者之香”的美誉,菊有“隐逸之士”的称号。竹子被称为“君子”,松树别号“大夫”。

## 延伸阅读

### 岁寒三友

中国古代文人喜爱借物抒情,借用自然景物来表现自己的思

岁寒三友青花瓷

想品格和对精神境界的追求。坚毅挺拔的青松、挺拔多姿的翠竹、傲雪报春的寒梅，都有着不畏严霜的高尚节操，历来被中国文人敬慕，称他们为“岁寒三友”。

关于“岁寒三友”，有一个小故事。北宋文学家苏轼遭权臣陷害，被捕下狱。经王安石等人营救，才获得从轻定罪，被贬到黄州。苏轼刚到黄州，心情很苦闷。稍后，家眷过来，朋友拜访，苏轼的心情也慢慢好转，但生活上又困顿起来。

于是，苏轼就向黄州知州讨要了数十亩荒地开垦种植，借以改善生活。这块荒地，当地人叫做“东坡”，苏轼便自取别号“东坡居士”。

苏轼在东坡种植了稻麦等粮食作物，又筑园围墙，建起了房屋。房屋取名“雪堂”，并在四壁都画上雪花；园子里，种满松柏竹梅等花木。

一年春天，黄州知州徐君猷（yóu）来雪堂看望他，打趣道：“你这房间起居睡卧，处处都是雪。如果真的天寒飘雪，人迹罕至，不会太冷清吗？”

苏轼手指园内花木，大笑道：“风泉两部乐，松竹三益友。”意思是风声和泉声是可以消解寂寞的两部乐曲，枝叶常青的松树、经冬不凋的竹子和傲雪绽放的梅花是可伴寒冬的三位益友。

徐君猷听后，对苏轼以“三友”自励，保持凌寒留香的高尚情操，不禁肃然起敬，此后对他便更为照顾了。



## 思考讨论

你知道“花中四君子”是什么吗？请说说看。

**瓜田李下[1]，事避嫌疑；秋菊春桃[2]，时来尚早。南枝先，北枝后，庚岭之梅[3]；朔而生，望而落，尧阶蓂荚[4]。**

## 注释

[1]瓜田李下：比喻容易招致嫌疑的地方。　[2]秋菊春桃：秋天的菊花九月开，春天的桃花三月开，表明时间的迟早不同。[3]庚岭之梅：庚岭，即大庚岭，为我国五岭之一，在今江西、广东交界之处。古时候多种植梅树，又称梅岭。因为南暖北寒，所以庚岭的梅花往往南枝已经凋落，而北枝刚开。　[4]尧阶蓂（míng）荚：相传尧时有土阶三尺，下面长着一种仙草叫蓂荚。蓂荚，又名“历荚”，传说每月初一后每日生一叶，十五后每日落一叶。通过蓂荚的生长、凋谢周期可以知晓时间。

## 译文

“瓜田李下”，是说做事要避开嫌疑；“秋菊春桃”，是说时候还早。南边枝条的花先开，北边枝条的花后开，指的是庾岭上的梅树；夏历初一开始生荚，十五以后开始落荚，指的是生长在尧帝庭阶的蓂荚。

## 延伸阅读

### 瓜田李下

唐文宗时，大书法家柳公权忠良耿直，能言善谏，担任工部侍郎。当时有个叫郭宁的官员把两个女儿送进宫中，于是皇帝就派郭宁到邮宁做官，人们对这件事议论纷纷。

有一天，唐文宗问柳公权：“近来人们对朝廷有什么议论？”柳公权回答说：“您派郭宁做地方官，有些人赞同，也有些人反对。”文宗听后皱皱眉头，显出不大高兴的神情。过了一会儿，唐文宗对柳公权说：“郭宁做官一向没有什么过失，今天以大将军的身份去邮宁做个主官，这有什么不妥的地方吗？”柳公权说：“按照郭宁对国家的功劳，派做主官是无可非议的。只是听议论的人说，郭宁是因为进献了两个女儿入宫，才得到这样的官职的。”文宗听了柳公权的这些话，赶紧解释说：“郭宁的两个女儿，是送进宫陪太后的，并不是献给朕的。”柳公权回答说：“瓜田李下的嫌疑，怎么能跟每个人都说得清呢？”

柳公权引用的“瓜田李下”，出自古乐府诗《君子行》：“君子防未然，不处嫌疑间。瓜田不纳履，李下不整冠。”意思就是说，君子出门在外，一定要注意防患未然，不要使自己陷入遭人怀疑的境地。路过瓜田的时候，最好不要弯下身子去提鞋子，站在李子树下的时候，最好不要伸手去整理帽子，以此来避免偷瓜和偷李子的嫌疑。

## 思考讨论

你有被人错怪的经历么？你是怎么解释的呢？

**芒刺在背**[1]**，言恐惧不安；薰莸异气**[2]**，犹贤否有别。桃李不言，下自成蹊**[3]**；道旁苦李，为人所弃**[4]**。**



## 注释

[1] 芒刺在背：像有芒和刺扎在背上一样，形容内心惶恐，坐立不安。芒，草尖。刺，荆棘。 [2] 薰莸（yóu）异气：香草和臭草的气味不一样。薰，香草，比喻善类。莸，臭草，比喻恶物。[3] 桃李不言，下自成蹊（xī）：比喻尚事实，不尚虚名。蹊，小路。[4] 道旁苦李，为人所弃：指路边的苦李，走过的人不摘取。比喻被人所弃、无用的事物或人。

## 译文

“芒刺在背”，是说人心里害怕、坐立不安；“薰莸异气”，正如好人和坏人自有区别。桃树和李树虽然不会说话，但人们喜欢它们的花和果实，来往不绝，树下自然走出一条小路；苦李子即使生长在路边，也会被人们抛弃。

## 延伸阅读

### 桃李不言，下自成蹊

西汉时期，有位有名的将领，名叫李广。他前后跟匈奴进行过七十多次战斗，战功卓著，深受官兵和百姓的爱戴。

李广虽然身居高位，统领千军万马，功勋卓著，但他一点儿也不居功自傲。他不仅待人和气，还能和士兵同甘共苦。每次朝廷给他赏赐，他首先想到的是他的部下，总是把那些赏赐分给官兵们。行军打仗时，遇到粮食或水供应不上的情况，他也同士兵们一样忍饥挨饿。打起仗来，他身先士卒，英勇顽强，只要他一声令下，大家个个奋勇杀敌，不怕牺牲。

后来，当李广将军去世的噩耗传到军营时，全军将士无不痛哭流涕，连许多与大将军平时并不熟悉的百姓也为他悲伤叹息。在人们心目中，李广将军就是他们崇拜的大英雄。

西汉伟大的史学家司马迁在《史记》中为李广立传时，就借谚语“桃李不言，下自成蹊”，来赞颂李广为人至诚、不尚虚名的美德。

“桃李不言，下自成蹊”，意思是说，桃子和李子有着芬芳的花朵、甜美的果实，虽然它们不会说话，但仍然会吸引人们到树下赏花尝果，以至于树下都踩出了一条条小路来。后来，人们就以此来比喻品德高尚或有实绩的人，不待自我吹嘘，自然能感动他人。

## 思考讨论

李广是汉代有名的“飞将军”，请查阅资料，找出他对待士兵的故事。

**元素致江陵之柑[1]，吴刚伐月中之桂[2]。捐资济贫[3]，当效尧夫之助麦[4]；以物申敬[5]，聊效野人之献芹[6]。冒雨剪韭[7]，郭林宗款友情殷；踏雪寻梅[8]，孟浩然自娱兴雅。**

## 注释

[1]元素致江陵之柑：元素，即董元素，唐朝人，会法术。有天晚上，唐宣宗要他弄来江陵的柑橘，董元素放了一个盒子在御榻前，一会儿，有微风吹入，董元素打开盒子，里面装满了柑橘，皇帝尝了，觉得味道不错。 [2]吴刚伐月中之桂：神话传说中吴刚遭天帝惩罚到月宫砍伐桂树，其树随砍随合，永无休止。 [3]捐资济贫：捐出自己的财物帮助贫困的人。 [4]尧夫：即范纯仁，苏州吴县（今属江苏）人，北宋宰相，范仲淹次子。 [5]以物申敬：用东西表达敬意。 [6]野人之献芹：相传古代有个人觉得老水芹美味，就在乡里的富豪面前称道。富豪尝了以后，既觉得难吃又腹痛不已。大家都讥笑这个人，他自己也感到很惭愧。后用“献芹”或“芹献”谦称赠人的礼品菲薄或所提的建议浅陋。 [7]冒雨剪韭（jiǔ）：汉代学者郭林宗自己种菜，友人范达夜间来了，他冒着暴雨割韭菜做饼招待朋友。 [8]踏雪寻梅：唐代诗人孟浩然曾经在大雪天骑着毛驴去寻找梅花。

## 译文

唐代人董元素会方术，夜召江陵柑橘呈献宣宗；相传吴刚学仙有过，被罚令砍伐月中桂树。捐资周济贫困，应该要效仿宋代范纯仁用麦子帮助石曼卿那样，鼎力而为；用物品表达敬意，就

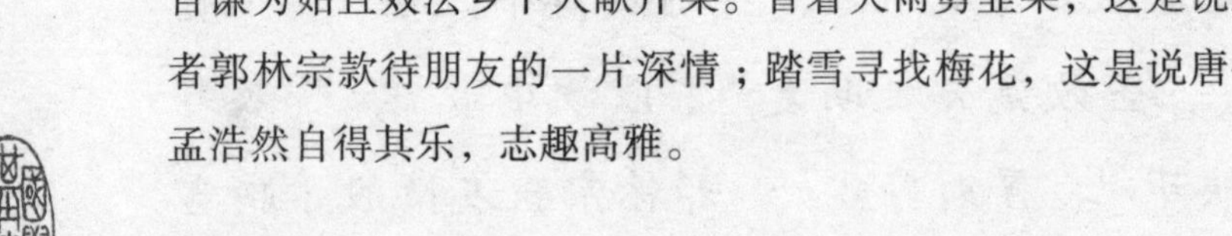

自谦为姑且效法乡下人献芹菜。冒着大雨剪韭菜，这是说东汉学者郭林宗款待朋友的一片深情；踏雪寻找梅花，这是说唐代诗人孟浩然自得其乐，志趣高雅。

## 延伸阅读

### 尧夫助麦

范纯仁，字尧夫，是北宋名臣范仲淹的次子。他为人平易宽厚，生活俭朴廉洁，处事刚直不阿，是北宋的一代名相。

范纯仁年轻的时候，他的父亲范仲淹在睢阳（今属河南）做官。有一次，就派遣他去苏州的老家收取田租。范纯仁收得麦子五百斛之后，就将其装船运往睢阳。途中，麦船在丹阳暂作停留，稍事休息。

就在这时，范纯仁遇到了熟人石曼卿。石曼卿就是石延年，他是当时著名的文学家，尤其擅长诗词创作，书法水平也非常高。范纯仁就问他为什么会停留在丹阳，停留了多久。

石曼卿回答说：“我由于亲人去世，在此地停留已经有两个月的时间了。我想将灵柩（jiù）运回家乡安葬，可惜没有能力，也不知道应该找谁商量。”范纯仁听了，便自作主张将一船麦子全送给了石曼卿，让他用作回乡的路费。范纯仁自己却只身骑马回到家中。因为擅自送掉了一船麦子，范纯仁不好向父亲交代，所以虽然在父亲身边站立很久，他也始终没有提起此事。

范仲淹问儿子说：“你这次到苏州有没有遇上老朋友或者结交什么新朋友？”范纯仁回答说：“我只遇到了石曼卿。他因为没有钱运亲人的灵柩回乡而耽搁在了丹阳。现在又没有哪个人能像前代郭震那样救人于危难，他真是求告无门，十分窘迫。”

范仲淹立刻对儿子说道：“那你为什么不把那船麦子送给他

呢？”范纯仁听父亲说出这话，心里一阵轻松，回答道：“我已经送给他了。”

后来有人评论说，单凭这件事，就可以知道范仲淹的家风已经传给了他的儿子。

## 思考讨论

假如你是范纯仁，你会怎样帮助石曼卿？你会把那船麦子给他吗？为什么？

# 后 记

有一次，偶然看到某市小学一年级的语文课本中有贺知章的《回乡偶书》一诗："少小离家老大回，乡音无改鬓毛衰。儿童相见不相识，笑问客从何处来。""衰"字加了注音 shuāi。

衰，在此处应该读 cuī，在古义中有"等级次第的差别或依次递减"的意思，如《左传·桓公二年》："故天子建国，诸侯立家，卿置侧室，大夫有贰宗，士有隶子弟，庶人工商各有分亲，皆有等衰。"引申为减少、稀疏。结合贺知章的《回乡偶书》，这里"衰"的意思当指鬓毛减少、疏落，而不是衰老的意思。再从整首绝句的韵脚来看，"衰"字与首句"少小离家老大回"中的"回"和末句"笑问客从何处来"中的"来"，这三字在"诗韵"即"平水韵"中同属灰韵。

这些属于古代文化常识性的内容，过去龆龀蒙童均能脱口成韵，如今在专业教育出版社的小学语文教材中出现这样的差错，管窥一斑，不由得让人担忧。

读错一个字音尚是小事，倘若几代人不读"四书"、"五经"、唐诗、宋词……那中华民族真的就没有了灵魂。民族没有了精神内核，没有了灵魂，如何奢谈中华民族的伟大复兴？

我们承认现代教育将中国教育的视野引向更为广阔的国际空间，带来了许多新理念，给中国教育带来了活力。但是，如何在引入国际现代教育理念和现代教育方式的同时，坚守中国具有传承价值的优秀传统文化？如何在全面实施素质教育的同时，弘扬中国文化特色以保持中国文化特有的气质？这是当前中国教育值得深入研究的问题之一。

梁启超先生曾言：“吾不患外国学术思想之不输入，吾惟患本国学术之不发明。”然而，本国学术思想之发明非一代人可以成就，须“由其民族自身传递数世、数十世血液浇灌、精肉所培壅，而始得开此民族文化之花，结此民族文化之果”。要国民热爱中国的传统文化，必须本国先民的成就有其可爱之处，而且要发扬国民精神，也当从固有的精神中有所抉发。

秋霞圃书院自 2010 年开始筹划编撰一套适合大众普及尤其是中小学生使用的“国学基本教材”，自小学至高中每学期能有一册在手，通过以长期渐进、系统地熏陶、滋养，使中小学生在潜移默化中亲近中国的历史与文化，并使中华传统文化在当下的社会生活中“活化”。当然这种“活化”不是简单的复古，而是在当代的语境中重新梳理中华文明的脉络，从中汲取适应时代需要、社会需要，乃至适应工业文明与后工业文明需要的养料，提炼出中华传统文化的核心价值，以此来滋养一代又一代学子，为中华民族的伟大复兴奠定基础。当然，这些愿景断非一己之力能及，而是需要几代人的不懈努力，我们所起的作用仅仅是抛砖而已。国内儒学研究领军学者之一、武汉大学国学院院长郭齐勇教授听闻我们有此愿望后鼎力支持，欣然担任本套教材的总顾问，协调资源，并为之作序；武汉大学国学院院长助理孙劲松先生、向珂博士在筹组编者队伍时提供了真诚无私的帮助。此后又蒙秋霞圃书院院长、历史学家沈渭滨，语言学家李佐丰，古典文献学者骆玉明、汪涌豪、傅杰、徐志啸等教授在谋篇布局上的悉心指点，形成了本套“国学基本教材”的框架。确定框架之后，我们邀请了武汉大学、复旦大学、华东师范大学、南开大学、中国传媒大学、中山大学、内蒙古师范大学、陕西师范大学、南通大学等高校人文学科中青年学人和江浙沪地区几位优秀的中小学语文教师参与编写。

全书成稿后，沈渭滨、王家范、骆玉明、傅杰、汪涌豪、杨国强、张觉、张新科、徐志啸、鲍鹏山等教授审读了书稿，并提出了宝贵的修改意见；86岁高龄的书法名家章汝奭先生为“国学基本教材”题写书名；《儒藏》总编撰、德高望重的北京大学教授汤一介先生为我们赠书“圣贤之道”；丰子恺先生后人为我们提供了精美而颇有意蕴的24幅漫画用作丛书封面；朱青生教授为我们提供了汉画文献用于插图；画家李永源先生逾古稀之年，为这套丛书手绘了上百幅插画；浙江古籍出版社社长杨林海先生是我故交乡党，听闻我有意筹划一套面向中小学生的“国学基本教材”丛书之后，青睐有加，多方努力协调资源，亲自落实该套教材出版的相关事宜……所有殊胜因缘，都在襄助秋霞圃书院矢志传播中华传统文化的大愿，唯有在此深揖致谢。

由于主持者与编者的学识有限，尽管悉心编校，但不足之处难免，敬请方家、读者指正，以便来年修订时，相应校正。

意见和建议可致电：021-66366439，13816808263。通信地址：上海市嘉定区南大街嘉定孔庙秋霞圃书院，邮政编码：201800，电子邮件 :qiuxiapu@163.com。

李耐儒

癸巳春于嘉定孔庙